# EL FIN DE LA HISTORIA

colección andanzas

# LUIS SEPÚLVEDA
# EL FIN DE LA HISTORIA

TUSQUETS
EDITORES

1.ª edición: mayo de 2017

Diseño de la colección: Guillemot-Navares
Reservados todos los derechos de esta edición para
Tusquets Editores, S.A. – Diagonal, 662-664 - 08034 Barcelona
www.tusquetseditores.com
ISBN: 978-84-9066-416-2
Depósito legal: B. 6.731-2017
Fotocomposición: Víctor Igual, S.L.
Impresión: Cayfosa (Impresia Ibérica)
Impreso en España

# Índice

A Carmen Yáñez, «Sonia», la prisionera 824.

A todas y todos los que pasaron
por el infierno de Villa Grimaldi.

# Primera parte

No se requiere mucha fuerza para levantar un cabello, no es necesario tener una vista aguda para ver el sol y la luna, ni se necesita tener mucho oído para escuchar el retumbar del trueno.

Sun Tzu, *El arte de la guerra*

# 1
## Latitud 55° Norte

«Estimados camaradas:

»Sé que planeáis ilustrar la portada del próximo número de *The Liberator* con una imagen de León Trotsky y me parece un justo homenaje. Hace un mes os envié una crónica sobre los últimos combates en Petrogrado, ciudad asediada por las tropas blancas del general Yudénich y los cosacos del atamán Krasnov. Trotsky comandó las fuerzas del incipiente Ejército Rojo y logró establecer el poder de los soviets en la ciudad cuna de la revolución justo antes de su segundo aniversario, consolidando de manera definitiva el gobierno del soviet de los obreros, campesinos, estudiantes y soldados desde el Báltico a Crimea.

»En los momentos previos a la llegada de Lenin para la celebración de la victoria tuve ocasión de acompañar a Trotsky en una situación que juzgará la historia: hasta el primer comisario del pueblo fue conducido el atamán Piotr Nikoláievich Krasnov, un cosaco derrotado, de cuerpo tembloroso y mirada suplicante que no se atrevía a mirar a los ojos de su vencedor y sólo gemía implorando por su vida. Nada quedaba del altivo atamán de los cosacos del Don que había jurado matar a todos los bolcheviques de Petrogrado.

»De la avenida Nevsky llegaban los gritos que pedían la muerte del atamán y Trotsky se limitaba a observarlo en silencio, con gesto serio mas no libre de lástima ante el vencido. A una orden del primer comisario del pueblo, un soldado rojo puso sobre la mesa una estremecedora fotografía que mostraba un medio centenar de obreros ahorcados por las tropas cosacas en Yekaterinoslav, y exigió al atamán que mirase la fotografía.

»El cosaco vaciló, estuvo a punto de caer y debió ser sujetado por dos soldados rojos. Tenía frente a él una prueba irrefutable de los muchos crímenes cometidos contra el pueblo ruso y en ese instante supo que le esperaba el pelotón de fusileros, pero Trotsky lo tranquilizó con las palabras que cito: "Piotr Nikoláievich, ¿se compromete usted a cesar cualquier ataque contra el poder soviético? ¿Se compromete usted bajo palabra de honor a regresar pacíficamente a su tierra y no volver jamás a levantar las armas cosacas contra el soviet de los obreros, campesinos, estudiantes y soldados?".

»Piotr Nikoláievich Krasnov, el atamán de los cosacos del Don, asintió con movimientos de cabeza, musitó su gratitud por conservar la vida con palabras ahogadas en llanto y se retiró escoltado por una pareja de soldados rojos.

»En la amplia sala del Instituto Smolny no quedamos más que el primer comisario del pueblo y yo.

Trotsky pareció adivinar las preguntas que deseaba hacerle y se anticipó en decir: "Nada fortalecería tanto a la contrarrevolución como un mártir de la categoría del atamán de los cosacos. Nada la debilitará más que esta derrota sin honra".

»La historia juzgará si León Davídovich Bronstein, Trotsky, hizo bien al perdonar la vida del atamán.»

John Reed

## 2
## Paralelo 33° Sur

Hacía veinte años que no ponía los pies en esta ciudad de verano infernal y no pensaba quedarme más tiempo del necesario. Iba a un encuentro que no había buscado ni deseado, y lo hacía porque nadie puede evitar la persecución de su sombra. No importa el rumbo, la sombra de lo que hicimos y fuimos nos sigue con tenacidad de maldición.

Di al taxista la dirección del hotel y me acomodé en el asiento trasero dispuesto a disfrutar del aire acondicionado mientras rogaba que no me tocara un taxista locuaz, pero no hubo suerte. Apenas arrancó empezó a despotricar contra la presidenta Bachelet, culpándola hasta del calor de febrero.

—Menos mal que se va. ¿Sabe por qué la eligieron presidenta? —preguntó medio girando la cabeza.

—Supongo que me lo dirá de todas maneras.

—Porque es mujer, comunista y, claro, hija de Bachelet. Pero ahora llega un presidente como debe ser, uno que sabe manejar el país, uno que es rico y sabe hacer negocios, uno como yo: un emprendedor.

Hay tipos que piden a gritos que les metan el cañón de un arma en la boca y les propongan la sencilla elección entre bala o silencio, pero yo estaba recién llegado y no tenía ningún fierro conmigo. El auto era de marca coreana, imitación de coche de alta gama con un infaltable aromatizador en forma de pino colgando del retrovisor.

—¿Usted sabe quién fue el padre de la presidenta? —atacó el taxista.

—Supongo que me lo dirá aunque no se lo pregunte.

—Otro comunista —sentenció echando una mirada de bronca al periódico que tenía en el asiento del acompañante. En la portada, la presidenta que en breve dejaría el cargo vestía de blanco y con la banda tricolor terciada al pecho. Sonreía como disculpándose por ese país de insuperables cretinos.

La única pedagogía eficaz aconsejaba meterle a ese tipo un cañón en la boca y recordarle que Alberto Bachelet fue un general de la fuerza aérea leal a Allende, que pagó el precio de esa lealtad golpeado, insultado, torturado y asesinado por sus mismos camaradas de armas.

—¿Viene a Santiago por negocios? —preguntó el taxista.

—No. Soy cirujano. Experto en lobotomías.

—¿Y eso qué es? Perdone la ignorancia.

—Le abro el coco a cuanto tarado se me pone a mano y le saco toda la mierda que le impide pensar. Páseme el periódico.

Al parecer captó la sutileza porque cerró la boca. El taxi avanzaba por una autopista para mí desconocida. Junto al río Mapocho se alzaban las antiguas barriadas populares castigadas por el sol inclemente de febrero, y bajo el manto de *smog* grisáceo se perfilaban las siluetas de los edificios más altos de la ciudad.

Mirando la foto del periódico recordé a otro hombre noble y leal, Luis Lorca, que un día de 1971 me señaló a una muchacha rubia y pequeña, vestida con uniforme de liceana, que encabezaba una marcha de la Juventud Socialista.

—Es la hija del general Bachelet, que dos compañeros del dispositivo de seguridad sean su sombra, hay que cuidarla —dijo Luis Lorca y con razón. Por entonces los paramilitares de la ultraderecha eran bastante agresivos y, qué diablos, nosotros devolvíamos golpe por golpe.

En el hotel recibí la tarjeta magnética de mi habitación y una vez dentro revisé cajones, abrí puertas, miré por la ventana hacia la calle en busca de algo inexplicable y determinado nada más que por la fuerza de la costumbre. Soy hombre de la segunda mitad del siglo XX, de los que duermen poco y, sin haber leído jamás a Lobsang Rampa, tienen un tercer ojo en la nuca. Enseguida estudié el mapa que tomé de la recepción, memoricé las posibles vías de escape y, como aún disponía de un par de horas antes de acudir a la cita, me tendí en la cama.

Lejos de sentir fatiga por el madrugón y el calor, mis músculos estaban tensos, alertas, como en los viejos tiempos en que esta ciudad era una trampa, y para conjurar los malos bichos del recuerdo cerré los ojos e hice un repaso de lo ocurrido en los últimos días.

La llamada que me sacó de la tranquilidad de Puerto Carmen, en el extremo sur de la isla de Chiloé, llegó con el eco inconfundible de las amenazas. No tengo teléfono celular ni ordenador conectado a internet, nada que pueda ser rastreado, pero ya nadie está a salvo del ojo del Big Brother que nos vigila desde el cosmos. Basta con sentarse frente a una pantalla, tipear Google Earth, y el movimiento del cursor sobre un continente, país, región, ciudad, barrio, nos lleva hasta los detalles de la intimidad reciente del sujeto buscado. Supongo que eso hizo Kramer para dar conmigo.

Me creía a salvo en Puerto Carmen sin hacer más que picar leña con ayuda del Petiso, y así aprovisionarnos de calor para el largo invierno austral. No deseaba otra cosa que mirar el mar con Verónica asida a mi brazo, sintiendo cómo su mirada va de la orilla a las primeras olas, de ahí a las islas Cailín y Laitec, hasta alcanzar la orilla difusa de la Patagonia continental. En ese punto sus pupilas siempre buscan la cima nevada del volcán Corcovado y se detienen impasibles, inmunes a mis promesas de cruzar un día el canal, navegar hasta el golfo Corcovado y ver a las ballenas azules apareándose en sus aguas.

El Petiso y yo aprovechábamos el buen tiempo de febrero, los días largos, para picar leña o reparar los aparejos de pesca mientras Verónica tomaba sol, cuando mis dos pastores alemanes, *Zarko* y *Laika*, sintieron el ruido de un vehículo acercándose. Erizaron los lomos, gruñeron y se sentaron protectores junto a Verónica. A los pocos minutos vimos el Land Rover aproximándose por la senda costera.

Hay sociedades curtidas en la alerta que funcionan sin palabras y así es la que formamos Verónica, el Petiso y yo. En el momento en que el vehículo se detuvo, el Petiso condujo a Verónica hasta la casa y regresó a la carrera. Me entregó la Makarov nueve milímetros ya con una bala en la recámara y se alejó hasta la leñera, aferrado a su «pajera», una escopeta Remington 870 con cartuchos de munición de acero.

Del Land Rover bajó un hombre joven que a manera de saludo señaló a los perros.

—¿Son bravos?

—Depende.

Tomó mi respuesta como una invitación a acercarse y caminó lentamente. Mientras lo hacía, bajó la cremallera de su cazadora y abrió los brazos para demostrar que no iba armado.

—¿Juan Belmonte? —preguntó sin dejar de mirar a los perros, que enseñaban los colmillos.

—Depende —respondí tranquilizándolos.

—Hubo un famoso torero que se llamaba así.

—Un lector de Hemingway. ¿Qué más debo saber de usted?

El hombre se detuvo frente a mí y giró la cabeza mirando al Petiso, que lo apuntaba con la Remington.

—Usted debe ser Valdivia —indicó.

—De Valdivia. Pedro de Valdivia —corrigió el Petiso, convencido desde siempre de que el «de» antecediendo a su apellido le otorga un dejo nobiliario, algo así como el «von» entre los prusianos.

—Me advirtieron que no sería recibido con fanfarrias —comentó y sacó algo del bolsillo interior de la cazadora. Era un teléfono satelital de última generación. Desplegó una corta antena, marcó un número, esperó y me pasó el aparato. Entonces, luego de veinte años tratando de olvidarla, volví a oír la voz de Kramer.

—Belmonte, mi viejo amigo con nombre de torero.* Mi emisario te entregará un sobre con dinero y un pasaje aéreo a Santiago. No. No es necesario que lo agradezcas. Y tampoco puedes negarte a aceptar la invitación a vernos, sobre todo considerando mis esfuerzos por demostrar a la policía chilena que no tuviste nada que ver con el asesinato de cierto alemán, ex agente de la Stasi, ocurrido hace veinte años en la Tierra del Fuego. Extraño país el tuyo, Belmonte, donde uno puede tomar el aperitivo con un genocida y sin embargo el asesinato es un delito imprescriptible. Será un placer volver a vernos, Belmonte.

No. No podemos huir de la sombra de lo que fuimos.

---

* El primer encuentro entre Kramer y Belmonte se produce en *Nombre de torero* (Andanzas 220), Tusquets Editores, Barcelona, 1994. *(N. del E.)*

# 3
## Latitud 46° Norte

La mañana del 8 de febrero de 1945 era gélida en Yalta, como en toda la península de Crimea, y en la vasta Ucrania la temperatura se negaba a subir de los cuatro grados bajo cero, pero Miguel Ortuzar —«Misha» para los oficiales soviéticos— rehusó la taza de té ofrecida por su ayudante y se entregó a la preparación del menú.

Por deseo expreso de Stalin el banquete debía empezar con caviar, seguido de esturión en gelatina y cabra de las estepas asada. Los ingleses de Churchill deseaban también empezar con caviar —ninguno le hacía ascos— y seguir con buey estofado y macarrones. Los que se negaban a oler siquiera el caviar eran los yanquis de Roosevelt, y como cada día exigían pescado blanco al *champagne* o pollo frito con ensaladas.

Misha comprobó con satisfacción que contaba con buen género llegado en las cajas rotuladas como «Yalta 208», y decidió agregar unas brochetas de cordero, además de codornices en escabeche.

Mientras el ayudante se entregaba al desplume de las codornices, revisó minuciosamente el tesoro que custodiaba anotando las mermas en el inventario. Hasta el palacio de Livadia, frente al mar Negro, los ingleses habían llevado 144 botellas de whisky, 144 botellas de ginebra, 144 botellas de jerez, 100 kilos de té, 100 kilos de beicon, 100 rollos de papel higiénico, 2.500 servilletas de papel, 350 juegos de loza y cubertería, 500 puros Robert Burns para Churchill, Stalin y los altos mandos, con sus correspondientes 1.000 cajas de cerillas. Los norteamericanos aportaron 1.000 botellas de vino del Rin, 1.500 botellas de whisky Johnnie Walker y King George, 2.000 latas de carne de ternera, 1.000 kilos de café en grano y 1.000 botellitas de salsa barbacoa. El inventario lo completaba el aporte del embajador británico en Moscú: una docena de botellas de Château Margaux cosecha 1928, y otras 500 botellas de whisky de diferentes marcas, pues Winston Churchill le había ordenado no escatimar en esto último indicando que «el whisky es bueno para el tifus y mortal para los piojos». El vodka, el caviar y el *champagne* de Crimea corrían por cuenta del anfitrión.

La misión de Misha era dar de comer a Josef Stalin, Winston Churchill, Theodore Roosevelt y los setecientos altos oficiales, traductores y hasta proyeccionistas de cine que integraban sus respectivas comitivas. A sus órdenes tenía cocineros y ayudantes de cocina rusos, ingleses y norteamericanos, y todos se preguntaban quién era en realidad ese hombre de cabellera negra peinada a la gomina, capaz de entenderse en ruso y en inglés con idéntica soltura, respetado, hasta temido incluso por los oficiales del NKVD, el Comisariado del Pueblo para Asuntos Internos, por ser el chef personal de Stalin.

El informe del NKVD sobre Miguel Ortuzar estaba lleno de vacíos. En el apartado nacionalidad mencionaban que era chileno, y en el de información no constatada ponía que, supuestamente, había llegado a Lisboa en marzo de 1936 siguiendo a una mujer, una cantante de nombre María Martha Esther Aldunate, artista destacada en la Alemania nazi, donde protagonizó un par de películas bajo la protección del ministro de Propaganda Joseph Goebbels y se hizo muy popular bajo el pseudónimo de Rosita Serrano.

El informe continuaba detallando que durante su permanencia en Lisboa trabajó de cocinero en el hotel Vitória, empleo que dejó en abril del mismo año para dirigirse a Madrid, sin que mediaran contactos con camaradas relevantes del Frente Popular, y fue contratado como cocinero del hotel Florida, en el número 2 de la plaza del Callao. En ese lugar se le conocen contactos con los periodistas norteamericanos Ernest Hemingway y John Dos Passos, y con el cineasta holandés Joris Ivens, al que ayuda durante la filmación de la película *Tierra de España*. Sus opiniones son de simpatía con la causa republicana pero no está adscrito a ninguna instancia orgánica como militante.

Según el informe del NKVD, en julio de 1936 hace amistad con Mijaíl Koltsov, corresponsal de *Pravda*. El camarada Koltsov fue advertido del sospechoso cosmopolitismo de Ortuzar, y en los informes remitidos por el camarada Koltsov este indica que es un «artista de la gastronomía» de abierta simpatía hacia la Unión Soviética. El último informe del camarada Koltsov señala que le ha enseñado el idioma ruso y lo habla con cierta soltura.

A instancias del camarada Koltsov, en enero de 1939 la NKVD extiende un salvoconducto y se entregan los medios necesarios para que Ortuzar viaje a Moscú y se le adjudique el puesto de primer cocinero del Club Obrero Rusakov.

El 1 de septiembre de 1939 el camarada primer secretario del Consejo de Ministros de la Unión Soviética y secretario general del Comité Central del Partido Comunista de la Unión Soviética, Josef Stalin, visita el Club Obrero Rusakov, cena en la cantina, y ordena que a Ortuzar se le otorgue la ciudadanía soviética y se le traslade al Kremlin. A partir de la fecha de aquella cena, interrumpida por el aviso del ataque alemán a Polonia, Ortuzar ejerce de cocinero personal del camarada Stalin...


La cocina del palacio de Livadia da a una amplia terraza, en ella se conservan diversos productos en salazón y dos ayudantes rusos esculpen las fuentes de hielo en las que se servirá el caviar. Misha Ortuzar siente el silencio que precede a los pasos lentos del gran hombre, y de inmediato los ayudantes se alejan. Stalin lleva el grueso capote gris echado sobre los hombros y charla con el comisario general de la Seguridad del Estado Lavrenti Beria.

Misha Ortuzar sabe lo que Stalin desea, y se apresura a sacar de una barrica un arenque encurtido con granos de mostaza y arándanos rojos. Corre al interior de la cocina y regresa con una rebanada de pan negro sobre la que ha puesto el pescado del Báltico.

—Mi buen Misha. Siempre adivinas mis deseos. El filete con salsa de ostras de la cena estuvo magnífico —dice Stalin y le palmotea un hombro antes de entregarse a la delectación del arenque a la Bismarck.

—Esta mañana he dado un paseo con Churchill y, hablando de Polonia, ese inglés arrogante me ha dicho: «El águila debe permitir a las pequeñas aves cantar, sin importarle qué canten». Y mi respuesta fue: «Estimado primer ministro, antes de hablar de aves quiero a todos los cosacos que habéis reunido en Austria de vuelta a la patria soviética».

Cuando Stalin y Beria se han ido, Miguel Ortuzar observa el mar Negro medio cubierto por una capa de nubes bajas que impiden ver el horizonte. La mención a las pequeñas aves lo sume en una melancolía que detesta, pero se deja llevar por el recuerdo de esa mujer, Rosita Serrano, «el Ruiseñor chileno».

El único favor que se ha atrevido a pedir a Stalin tiene que ver con ella. En junio de 1941, ya con media Europa bajo la bota nazi, supo por su amigo Mijaíl Koltsov que Rosita Serrano había caído en desgracia en Alemania. El Ruiseñor chileno se valía de sus contactos con los jerarcas nazis para salvar judíos y resistentes daneses. Fue depurada, sus bienes confiscados, y no la asesinaron por el efecto de contrapropaganda que suponía matar a un ídolo popular. Entonces, justo unos días antes del inicio del ataque alemán a la Unión Soviética, la famosa operación Barbarroja, Ortuzar se atrevió a pedirle ayuda a Stalin en forma de salvoconductos que le permitieran llegar a Suecia, país desde el que fue repatriada a Chile en 1943.

Mirando el horizonte incierto del mar Negro, Miguel Ortuzar cree oír la voz de esa mujer, del Ruiseñor chileno: «Si a tu ventana llega una paloma, trátala con cariño que es mi persona...».

# 4
## Latitud 33° Sur

La cita era en el Divertimento, un restaurante rodeado de un frondoso jardín en las faldas del cerro San Cristóbal. Al cruzar el pórtico de entrada me cortaron el paso dos sujetos rubios, de pelo cortado a cepillo y pinganillos en las orejas. Uno de ellos se paró frente a mí con las manos cruzadas en el vientre y me clavó una mirada glacial, mientras el otro me cacheaba sin tocarme. Se limitó a pasar un escáner de mano por mis sobacos y cintura.

—*Shisty* —masculló, y como estaba limpio me dejaron pasar.

Me pregunté qué hacían en Santiago esos dos matones rusos y qué relación tenía Kramer con esos tipos.

El viejo instinto de sobreviviente de muchas derrotas me erizó los pelos de la nuca y ordenó salir de ahí, mandar al infierno a Kramer y lo que tuviera entre manos. Giré el cuerpo y uno de los matones que permanecían a la entrada empuñó las manos haciendo crujir los nudillos. Mi anfitrión no admitía desaires.

Los años no perdonan y Kramer se veía bastante más decrépito que cuando lo conocí. Nunca supe su edad, apenas su nombre, sólo que trabajaba para el Lloyd Hanseático, una aseguradora dedicada a asuntos complejos y sensibles a la legalidad. Ya era viejo la primera vez que lo vi en Hamburgo, hacía ya veinte años. Lo único libre de senectud era la moderna silla de ruedas que ocupaba. El lugar estaba agradablemente climatizado, pero Kramer tenía una manta de alpaca sobre sus piernas inútiles. Otro hombre lo acompañaba, un sujeto tal vez de mi edad, alto, fornido aunque con evidentes problemas de sobrepeso, que me observó con acuosos ojos azules mientras daba sorbos a su copa de pisco sour.

—Hermoso país, Belmonte. Comprendo perfectamente que hayas regresado —dijo Kramer indicándome una silla.

—¿Hablaremos de turismo? Puedo conseguirle una guía de las bellezas naturales.

—Veo que no has cambiado. Siempre duro y arrogante. Me gustas, Belmonte. ¿No te alegras de volver a verme?

—Recuerdo que tenía un perro sarnoso. ¿Lo cambió por esos dos que me recibieron?

—¡El noble *Canalla!* Pasó a mejor vida. Un buen perro, ciertamente. Creo que conoces a este señor que me acompaña.

El hombre me miraba y sonreía. El azul de sus ojos se veía desvaído bajo las espesas cejas y unos mofletes surcados de venas delataban al alcohólico. Acariciaba la copa sin dejar de observarme.

—Academia Rodión Malinovsky de las fuerzas

acorazadas soviéticas. Yo hice de usted un buen francotirador y sé que mis lecciones le han servido, por ejemplo en Nicaragua. Coronel Stanislav Sokolov, pero puede llamarme Slava, como en los viejos tiempos —dijo en un español cargado de acento ruso.

No. La sombra de lo que fuimos no perdona. Conocí a Slava en 1977, era un joven oficial del KGB encargado de los latinoamericanos que aprendíamos el arte de la guerra en la Academia Malinovsky. Algunos, la mayoría, reptaban en el lodo o la nieve, siempre empapados, ateridos de frío, hasta llegar a las partes vulnerables de un carro de combate y poner ahí la bomba lapa o la carga explosiva. Otros, los menos, recibíamos formación de *snipers,* tiradores de élite encargados de proteger a las fuerzas de infantería que avanzaban al amparo de los tanques. Slava era un oficial duro, implacable en los castigos, de complexión atlética y cabellera casi albina. Ahora lo tenía al otro lado de la mesa convertido en un gordo alcoholizado, tal vez con el vigor apenas suficiente para sostener el Rolex de oro que lucía en la muñeca izquierda.

—Veo que la vida le sonríe, Slava. Cambiar el Poljot de acero con el emblema del KGB por un Rolex no es mal negocio.

El ruso soltó una carcajada, pidió otra ronda de pisco sour y empezó a narrar recuerdos de los viejos tiempos en la Unión Soviética.

Mi intención era saber qué hacía yo ahí, pero Slava no cesaba de hablar de la soledad del francotirador, de su paciencia, de la capacidad para permanecer horas, días enteros inmóvil, impasible a la lluvia o al sol, al hambre y la sed, meándose y cagándose en los fundillos, indiferente a las alimañas que reptaban por su cuerpo, con toda la atención puesta en la distancia que lo separaba del objetivo, de la velocidad y dirección del viento, siempre con un ojo incrustado en la mira telescópica y el índice rozando el gatillo del fusil.

—Todo eso fue una mierda, *tovarisch*. Era otra guerra la que nos esperaba, y eso jamás lo entendieron en Moscú. Tampoco lo entendieron los que nos mandaron a la Unión Soviética. Le diré algo, Slava, para su manual de guerra: en Nicaragua unos francotiradores invisibles nos causaban enormes bajas y no sabíamos qué demonios hacer. Nada de lo que aprendimos en la Academia Malinovsky nos servía para descubrir a esos tipos y aunque permanecíamos días enteros pegados a la tierra, al menor movimiento de uno de nosotros alguien perdía la mitad de la cabeza entre los matorrales. No había detonaciones, además usaban balas expansivas y en las cabezas reventadas no había manera de leer la trayectoria del proyectil. No estábamos en la estepa, Slava. Estábamos en la puta selva.

»Un día, de pura desesperación, un guerrillero sandinista ametralló las copas de los árboles con una M-60 hasta casi fundir el arma y, para nuestra sorpresa, sentimos caer algo del follaje. Mientras nos acercábamos alguien gritó que era un niño, pero se trataba de un mercenario vietnamita, o, mejor dicho, la mitad de un vietnamita porque la ráfaga lo partió en dos. La parte inferior del cuerpo, de la cintura para abajo, seguía acomodada a un sillín de lona y atada con arneses de alpinista. En la mochila sujeta al tronco había, además de munición, agua y raciones de comida para varios días, visores nocturnos y, colgando del sillín, un Galil ACE 31 con silenciador. A partir de ese día se terminó el mito del *sniper* protector y antes de mover el grueso de la columna guerrillera, la vanguardia ametrallaba las copas de los árboles. Era otra guerra, Slava, guerra de campesinos, estudiantes y maestros, sin espacio para guerreros de élite. Una puta guerra con gente más dispuesta a morir que a vencer.

El ruso iba a replicar, pero por fortuna se acercó una camarera con los entremeses y pude preguntar qué querían de mí.

Kramer empezó una disertación acerca de los cambios en el mundo desde la última vez que nos viéramos, y agregó que el Lloyd Hanseático de Seguros se ocupaba de los intereses de varios empresarios rusos relacionados con Chile. Desde la última reunión del Foro Asia-Pacífico celebrada en Santiago el año 2004, el interés de los empresarios de la Federación Rusa por aumentar las compras de productos chilenos crecía de manera considerable y eso era bueno para el comercio bilateral.

—Así es. Los rusos ricos quieren comer manzanas chilenas y los chilenos ricos quieren putas rusas. El mundo ha cambiado y brindo por eso —agregó Slava.

—¿Y qué demonios pinto yo en su nuevo orden mundial?

—Calma, Belmonte. Te guste o no, ya estás en el embrollo —dijo el viejo suizo buscando con desgana en la bandeja de ostras.

Veinte años atrás yo era un descolgado, un ex guerrillero empeñado en la supervivencia del exilio y sin deseos de saber de mis antiguos compañeros. Me ganaba el sustento haciendo de matón en un cabaret de Hamburgo, y lo único que me ataba a la vida era ganar dinero para enviar remesas a mi compañera, o a lo que quedó de ella después de pasar por el Cuartel Terranova o Villa Grimaldi en los mapas del horror. Kramer se me había acercado atraído por la sombra de lo que fui, los vínculos del Lloyd Hanseático con los servicios de seguridad yanquis, latinoamericanos y europeos, le permitieron dar con el rastro de mi sombra. Acepté trabajar para él por dinero, como un mercenario más del submundo del poder, y por la promesa de internar a Verónica en una clínica danesa especializada en tratar a víctimas de la tortura.

Viajé a Chile clandestino, hice lo que me mandaron, y aunque el asunto terminó bien para los intereses del Lloyd, se enturbió y hubo muertos, demasiados muertos.

—Prometió dejarme en paz, Kramer.

—Y cumplí, Belmonte. También cumplí la promesa de llevar a tu mujer a Dinamarca. No te pregunto cómo está, aunque sé que los médicos hicieron lo debido. Lo que sucede, Belmonte, es que cuando la policía chilena investigó la muerte del alemán en la Tierra del Fuego, ¿cómo se llamaba?, ah sí, Galinsky, encontraron tus huellas y cierta gente mostró un especial interés en tu persona.

—Vaya al grano, Kramer.

—En marzo cambia el gobierno. Se va la simpática señora Bachelet y asume Piñera, la derecha que mamó, creció y se benefició con la dictadura. El nuevo presidente desea congraciarse con los militares. Hay muchos oficiales sometidos a juicios, otros encarcelados, algunos hasta se han suicidado, y tanto la presidenta saliente como el entrante desean que esto termine. Necesitan con urgencia ofrecer a los militares un argumento que les limpie la cara, una conjura, un complot, una razón de Estado para terminar con el goteo de denuncias y procesos. Como bien sabes, muchos de tus ex compañeros firmaron un acuerdo con los militares que, básicamente, legitima el modelo económico y se compromete a evitar todo tipo de subversión. Y en este punto entras tú, Belmonte: un ex guerrillero en Bolivia, ex miembro de la escolta del presidente Allende, ex guerrillero en Nicaragua, formado en academias militares de la extinta Unión Soviética, la desaparecida República Democrática Alemana y Cuba, que vive sospechosamente alejado de todo en el culo del mundo, y que, aparentemente, ha estado involucrado en el asesinato de un ex agente de la Stasi y otros elementos de pasado subversivo justamente cuando la nueva democracia se estrenaba. Algo tramas, un tipo con tu pasado no permanece quieto, y si a eso agregamos que nadie conoce el origen del dinero con que compraste una casa y del que vives, todo eso, Belmonte, hace de ti el chivo expiatorio ideal. ¿Juego sucio? No. Es el poder simplemente. Supongo que no has olvidado la existencia de cierta «oficina» creada por la democracia posdictadura. Su misión era terminar a cualquier precio con los remanentes subversivos y lo hicieron. Esa «oficina» que jamás existió sigue muy activa y está empeñada en involucrarte en asuntos sucios de ayer, de hoy si es necesario, y con eso demostrar que, pese a los posibles excesos, los militares combatían contra un enemigo feroz.

—Hijo de puta.

—Es el poder, Belmonte. Sí, trabajo para el poder. Sin embargo, basta con una orden mía para que los servicios legales del Lloyd entreguen a las autoridades chilenas un informe indiscutible de tu impecabilidad, en el que se indique que jamás estuviste en Chile antes de tu regreso registrado por la policía. Todo esto sin olvidar una recompensa justificada como jubilación. Todos estamos en edad de jubilar, Belmonte.

El ruso alabó el vino blanco que acompañaba las ostras y me pasó dos fotografías, dos rostros fotografiados de frente, dos hombres jóvenes, serios, de semblantes trágicos, casi borrados de mi memoria.

—Los conoce, ¿no es así? —inquirió Slava.

—Conoce la respuesta. También sabe que teníamos identidades falsas, nombres de combate y no volví a verlos desde mi salida de la Academia Malinovsky.

El ruso llamó a la camarera, ordenó otra bandeja de ostras e indicó a Kramer que continuara.

—Tu tranquilidad definitiva a cambio de encontrarlos. Estos dos antiguos camaradas tuyos intentan ciertas cosas que pueden lesionar las relaciones entre empresarios chilenos y de la Federación Rusa. Como tú, saben moverse sin ser vistos y no dejan huellas. Encuéntralos, Belmonte, y jamás volveremos a vernos.

Buscar la aguja en el pajar. Kramer me proponía encontrar a dos hombres a los que vi por última vez en la desaparecida Unión Soviética en 1978. Esos dos se habían formado como oficiales de inteligencia instruidos por Slava y otros sujetos del KGB. Lo único que sabía de ellos es que no integraron ninguno de los grupos de combate que supuestamente regresarían a Chile a dar la guerra contra la dictadura. Esos dos eran *apparatchiks,* tenían relaciones influyentes y su formación como oficiales de inteligencia les hizo intimar más con la gente del KGB que con los que reptábamos en el lodo o la nieve. Sus destinos eran diferentes al mío, no eran hijos de la derrota y no los preparaban para conocerla.

—¿Pretende que viaje a Rusia, Kramer? Estas fotos tienen más de treinta años.

—Es muy posible que estén en Chile, Belmonte. Tal vez en esta misma ciudad. Son como tú, saben moverse sin agitar la hierba ni dejar rastros.

—¿Y qué se supone que hacen o harán esos dos tipos en Chile?

El ruso echó unas gotas de limón sobre la última ostra, miró cómo el molusco se retorcía al contacto con el ácido, lo tragó con placer y tras limpiarse los labios con la servilleta me acercó un sobre color manila.

—Su misión es encontrarlos. Aquí está toda la información que necesita, dinero cuyo gasto no debe justificar y un teléfono celular con un número memorizado. Lo usará sólo para comunicarse con el señor Kramer. Encuéntrelos y nosotros nos encargaremos de disuadirlos.

—¿Así de fácil, Slava?

Kramer hizo retroceder la silla de ruedas, se alejó un par de metros de la mesa y con un gesto me indicó que me acercara a su rostro.

—Lo que te diré es de alto riesgo para mí, pues puedes matarme con un solo golpe, pero en ninguna parte está bien visto pegar a un inválido. Belmonte, en este momento hay un pelotón de las Fuerzas Especiales muy cerca de tu casa. Entrarán, encontrarán armas, explosivos y lo que quieran hallar. Tú sabes muy bien cómo actúa la Oficina, pero basta con una llamada y la historia, tu historia, desaparece y se olvida en alguna carpeta.

Un gesto de Kramer indicó que la entrevista había terminado y los dos matones me escoltaron hasta la salida del restaurante.

—Es el poder, Belmonte, sin edad ni tiempo, pero siempre presente.

La adrenalina recorría mis arterias y el corazón bombeaba acelerado. En la mano izquierda tenía el sobre que me entregó Slava y en la derecha un puñado de aire que comprimí cerrando el puño y lo estrellé en el vientre de uno de los matones. El hombre no lo esperaba, acusó el impacto, trastabilló y cayó sentado sobre unas macetas de geranios.

Desde la mesa, Slava alzó una mano enseñando la palma y el otro matón ayudó a su compañero a levantarse. Kramer sonreía y yo supe que el asunto empezaba mal, muy mal.

# 5
## Paralelo 48° Norte

La mujer se abre paso entre las ruinas silenciosas de Marienplatz. Hace poco menos de un año terminó la guerra, callaron los cañones y el cielo azul de Múnich no muestra más que algunas urracas sobrevivientes. Camina e inclina la cabeza al pasar frente a las brigadas de mujeres que forman una cadena humana rescatando ladrillos de la que fue la iglesia de San Pedro, *der alte Peter,* como insisten en nombrarla los muniqueses.

La mujer habla un alemán bastante aceptable, aprendido en Austria, y eso le facilita moverse entre ingleses, franceses y norteamericanos que buscan funcionarios del Reich, oficiales de las SS, delatores o nazis ocultos entre sus propias ruinas, pero los soldados aliados también son extranjeros y por tanto incapaces de descubrir su acento de Carintia.

Cerca de los restos de la entrada principal de la iglesia un grupo de hombres, la mayoría de ellos lisiados, reúne pedazos de imágenes religiosas, trozos del brazo de algún santo, el pie pequeño y descalzo de alguna virgen, candelabros medio fundidos por los incendios, retazos de tela espesa que antaño fue púrpura, vestigios del cadáver de dios despedazado por los bombardeos aliados.

Le angustia no ver a ningún fraile entre esos hombres, y como una loba de la estepa en busca de una presa fácil para alimentar a su manada olisquea el aire antes de acercarse a uno de los más viejos. En voz baja, casi un susurro, pregunta por el padre Klaus.

—*Er kommt gleich, du musst warten* —responde desganado el viejo y ella asiente. Debe esperar, el cura vendrá pronto.

El sol entrega una tibieza agradable mientras espera sentada en un bloque de granito. Muy cerca, un inválido hace sonar un organillo con su único brazo, y la tonadilla bávara recuerda días alegres de camisas pardas, cerveza a espuertas, bellos jóvenes arios cantando el himno de Horst Wessel y codillo de cerdo asado, pero ella no está para semejantes nostalgias porque de donde viene, de las orillas del río Drava, su gente evita mirar al pasado y sólo tiene ojos para atisbar un presente aterrador.

*Der Russe*, esas dos palabras que empleaba Hitler para referirse al Ejército Rojo en su avance hacia Berlín, reclama a los suyos. El ruso los quiere de vuelta al otro lado de los montes Urales. Los ingleses mintieron al prometerles que podían permanecer en Austria, o en tierra croata o eslovena, una vez finalizada la guerra. Simplemente mintieron o acomodaron su promesa a los deseos de Stalin tras la Conferencia de Yalta. Entre su gente hay hombres resignados a la derrota dispuestos a regresar a Rusia, otros, en un postrer intento por torcer la mano de la historia, se han volado media cabeza con un disparo de la Luger o se han colgado de la rama alta de un abedul que les recordó la lejana patria, y son muchas las mujeres que saltan a las aguas del Drava abrazadas a un trozo de metal.

Ella es vieja, sí, pero no tanto, piensa al recordar que jamás le flaquearon las fuerzas para ir de un extremo a otro del mundo, a cualquier lugar hacia el que condujeran las huellas de la cabalgadura del atamán Krasnov. Es mujer, sí, y por eso ha obedecido ciegamente las órdenes de abrir las piernas, parir, coser y guardar silencio mientras el atamán lee en voz alta sus escritos, la descripción de la belleza de sus hombres, de sus soldados con rostro de niña, de los uniformes más aptos para ser lucidos en los palacios de San Petersburgo que en las batallas, y hasta ha reprimido la risa al escuchar que la noche de bodas envilece, y que un cosaco no conoce más que el amor hacia dios, el zar y su atamán.

Así cruzó Europa luego que León Trotsky, ese pequeño y horrible judío, a decir del atamán, los obligara a dejar los territorios del Don, marchar al exilio en París y más tarde a Berlín, cuando el atamán reunió a sus oficiales cosacos para anunciarles que regresaban a Rusia junto a los ejércitos de la cruz gamada.

Era cuestión de semanas, aseguró el atamán, lograr la victoria sobre las tropas bolcheviques y restaurar el orden sacro del zar de todas las Rusias, el poder de las divisiones blindadas alemanas era imparable.

Pero a las puertas de Stalingrado ocurrió algo imprevisto, la dura resistencia del Ejército Rojo unida a uno de los inviernos más severos estancó la ofensiva, y los guerrilleros cortaron las líneas de suministros. Encerrado en su búnker berlinés, el Führer ordenó que las *stonias* cosacas, los escuadrones de cien hombres, abandonaran el frente oriental y se dirigieran a los Balcanes para combatir a las tropas partisanas de un tal Tito.

Durante el viaje en trenes militares que ya hedían a derrota, junto a otras mujeres remendó uniformes, curó heridos, cerró los ojos de los que por fin salían de la guerra hacia la incierta patria de los muertos, escuchó el odio, el asombro del atamán al narrar que en la madre Rusia había cosacos que luchaban en el bando bolchevique, y no vio ni la sombra de la belleza de los soberbios jinetes con rostro de niña.

El Croacia vio envejecer al atamán, cegado de ira e impotencia antes los ataques de los partisanos, bandidos de las montañas que se tornaban invisibles y atacaban en pequeños grupos causando cada vez más bajas a las *stonias* cosacas, a las fuerzas regulares de Mihailović, a las bandas ustachas de Ante Pavelić y a los destacamentos alemanes de las SS que empezaban a replegarse hacia Italia.

El atamán Krasnov ordenó que por cada cosaco caído se quemaran vivos cincuenta aldeanos sospechosos de simpatizar con los partisanos de Tito y, siguiendo el ejemplo de los ustachas, los cosacos también adornaron sus uniformes con lenguas y orejas arrancadas a los prisioneros. El atamán, cerca ya de los setenta y cinco años, dejó de mencionar la belleza de sus hombres.

Ella es mujer, sí, y por eso no debe hacer preguntas. Es una sombra más del destino del atamán y, fiel a su condición, lo sigue a Italia. El rumor de que la guerra está perdida se hace evidencia en los continuos bombardeos de los Aliados. En Italia los cosacos visten uniformes del ejército alemán mientras los verdaderos alemanes se retiran. El atamán da muestras de cansancio, los fascistas italianos carecen de toda disciplina y las fuerzas regulares del Duce sólo anhelan rendirse a los norteamericanos que avanzan desde el sur.

En la región de Udine el atamán logra su única victoria al ocupar Tolmezzo, y desobedeciendo las órdenes de Berlín decide fundar una patria cosaca en el lugar.

Ella es mujer, sí, y por eso obedece cuando el atamán ordena que las mujeres se entreguen a remendar y coser nuevos uniformes. Especial empeño deben poner en los de su guardia de honor, veinticuatro cosacos que lo escoltan a lomos de jamelgos famélicos, asnos torpes, mulas tercas y bicicletas confiscadas a los lugareños. Es una *stonia* triste que marcha en medio del patetismo de la inminente derrota.

Las mujeres no alcanzan a poner botones dorados a todos los uniformes cuando a la patria cosaca de Tolmezzo llega la noticia del fin de la guerra. Una vez más se ponen en marcha, esta vez el éxodo los conduce hacia los Alpes para alcanzar Austria. Durante la travesía son constantemente hostigados por los partisanos italianos, para los que la guerra sólo terminará una vez expulsado el último invasor. Ni siquiera tienen tiempo de enterrar a sus muertos y las aves carroñeras se hartan de carne de cosaco.

Ella es mujer, sí, y bajo el apacible sol de Múnich descubre que está estrujando el pequeño rectángulo de cartón que tiene en las manos. Es un billete de tren para un viaje de ida desde Múnich a Hesse. Ella ignora dónde queda Hesse, pero ha cumplido la extraña manera de validar ese billete tachando con un lápiz cuatro letras, dejando solamente las dos eses muy visibles.

Entonces ve al cura. Es un hombre alto, delgado, y la sotana negra que le llega hasta los tobillos aumenta su estatura.

—*Pater Klaus?* —pregunta en voz baja.

—*Wer sind Sie?* —responde el cura, y ella entiende que comparten la misma desconfianza, así que no le dice su nombre y le entrega el billete de tren.

El cura mira el billete, lo guarda con sigilo en un bolsillo de la sotana y con un gesto le indica que lo siga.

—¿Odessa? —se atreve a preguntar, pero el cura se lleva un dedo índice a los labios y echa a andar.

Mientras lo sigue por las calles en ruinas de Múnich piensa que todavía hay un atisbo de esperanza para los suyos. Fue largo el viaje desde Carintia a Baviera, y por fin estaba ahí, cerca del eslabón que la conectaría con Odessa, la organización de camaradas nacionalsocialistas que conseguía identidades y salvoconductos para viajar a países de nombres exóticos; Chile, Argentina, Brasil, Paraguay.

Más tarde, al calor de una taza de té el cura le indicó los pasos a seguir. Le explicó que Odessa no sólo saca de Alemania a los supervivientes de las SS perseguidos por crímenes de guerra, sino también a los que cooperaron con las fuerzas nazis en diferentes países de Europa, especialmente a los croatas y rusos que fueron voluntarios de las SS. Y se entera también de que Odessa es mucho más que el nombre de una ciudad de Ucrania, son las siglas de la Organisation der Ehemaligen SS-Angehörigen, la organización de antiguos miembros de las SS creada por Otto Skorzeny al amparo de la Iglesia católica.

—Bendito sea el arzobispo Alois Hudal, director espiritual de la comunidad católica en Italia; bendito sea monseñor Karlo Petranović, obispo de Zagreb; bendito sea monseñor Giuseppe Siri, arzobispo de Génova; bendito sea monseñor Karl Bayer, obispo de Augsburgo; bendita sea su santidad Pío XII, que ha ordenado salvar a los camaradas de las SS —recita el cura al despedirla.

—Benditos sean —repite la mujer santiguándose a la manera ortodoxa, y con la certeza de saber que el nieto del atamán sobrevivirá al otro lado del Atlántico.

# 6
## Paralelo 33° Sur

Para encontrar una aguja en un pajar primero hay que dar con el pajar y eso se hace con calma. En el sobre que me entregó Slava había un fajo de billetes de quinientos euros, nunca antes los había visto, y un folio con muy poca información. De los dos hombres que debía encontrar ponía que ambos eran excombatientes de Afganistán, tenían pasaportes argentinos y viajaban en compañía de otros tres camaradas de armas de nacionalidad rusa. Por último, en el sobre encontré una fotografía borrosa tomada por una cámara de seguridad de un aeropuerto ruso —a juzgar por los uniformes de los hombres que se veían algo alejados de los que debía encontrar—, y al pie de la foto se leía una fecha: 12/02/2010. Si esa era la fecha de la salida de Rusia me llevaban varios días de ventaja.

Debía empezar de cero, hacerme con un fierro y con material de comunicación no rastreable, así que no me quedaba más que seguir a la sombra de lo que fui.

Maldiciendo el calor caminé hasta una estación del metro y partí hacia el poniente, hacia la estación de autobuses del sur. Durante el viaje en condición de sardina enlatada pensé que todo era diferente en la ciudad, muy diferente a lo que recordaba, y mi máquina del tiempo llevaba veinte años detenida. Todo había cambiado, pero la realidad chilena es gatopardiana y todo cambia para que todo siga igual. Los bajos fondos se medían ahora en gigabytes pero seguían siendo los bajos fondos.

La estación de autobuses era un horno en el que se hacinaban familias a la espera del vehículo que las sacaría de ahí, y apestaba a comidas rancias, sudor y derrota, los olores malditos de la pobreza. En los baños el asunto era peor, pues hedía a orina fermentada y por fortuna no tuve que recorrerlos enteros hasta dar con lo que buscaba, un camello que fumaba a la espera de yonquis.

—Tienes medio minuto para decirme quién manda en La Legua y dónde lo encuentro.

—Hazte humo o te rajo —contestó el camello.

—No me has entendido —dije, y le metí un derechazo directo al hígado. Se dobló en dos, boqueó como un pez deforme en busca de aire y el segundo golpe en la oreja izquierda lo tornó razonable.

—Para, compadre. Para —pidió desde el suelo.

Lo ayudé a incorporarse del charco de meados y al tenerlo nuevamente en pie le atenacé la entrepierna.

—Hay dos verdades en la vida. Una, no soy poli. Dos, estás a punto de perder los huevos.

—Está bien. Hay un negocio allí. Pregunta por el gordo Lalo, pero no digas que yo te di el dato.

—Hablando se entiende la gente.

En el bolsillo de la camisa del camello vi un teléfono celular que tomé prestado y a cambio metí dos billetes de diez mil pesos.

La Alameda en mi memoria era una bella avenida de casas patricias y pequeños palacios muy europeos, convertidos en hoteles y pensiones para alojar a los que llegaban desde el sur lluvioso, gentes atemorizadas ante la majestuosidad de la capital. Ahora era un mercadillo infinito de toda clase de cosas hechas en China, fritangas y una masa sudorosa dividida entre los que venden y los que compran sin que importe qué ni para qué.

Bajo la sombra protectora de la vieja estación de trenes que tampoco existen tomé el teléfono del yonqui y marqué un número. Esperé hasta que una voz amiga respondió desde Quellón, en el extremo sur de la isla de Chiloé.

—Don Silva, pare bien las orejas que debo pedirle una gauchada.

—Diga no más, don Belmonte.

—Deje a su hijo a cargo del negocio, tome la camioneta y vaya hasta mi casa. Dígale a Pedro que se venga con Verónica al pueblo y se alojen en la pensión de doña Anita. Esta noche yo llamaré al teléfono de la pensión. Y que Pedro se lleve todas las herramientas. ¿Estamos?

—Salgo al tiro, don Belmonte. ¿Cómo está el tiempo por Santiago?

—Huele a mierda. ¿Y por allá?

—Está que llueve y no llueve, que sale el sol y no sale.

Me gusta la precisión de mi gente. Colgué y casi pude ver a don Silva instruyendo al hijo para que se pusiera tras el mostrador y atendiera la venta de anzuelos, nailon y otros asuntos que tienen que ver con la pesca, antes de echar a andar la vieja camioneta Ford Custom y poner rumbo a Puerto Carmen.

No fue fácil dar con un taxista que quisiera llevarme a La Legua, un suburbio al sur de Santiago. Los «para allá no voy ni amarrado» o «ni cagando lo llevo a ese lugar» se repitieron varias veces hasta que di con un taxista comprensivo pero con condiciones.

—Lo dejo a la entrada. Ni un metro más.

En las barriadas pobres el sol pega sin piedad, así fue siempre y nada de eso había cambiado. Algunos habitantes de La Legua plantaron árboles raquíticos que no daban sombra y clamaban por agua. Apenas empecé a caminar por las calles estrechas sentí las miradas desconfiadas siguiéndome. Cuando en Santiago hubo fábricas y talleres, en La Legua convivían obreros y ladrones. Ahora, con las fábricas convertidas en recuerdos a medio derruir, sus calles las compartían vendedores de cualquier cosa, sirvientas de barrios pudientes y una nueva gama de delincuentes: los narco.

Me acerqué a un grupo de muchachos que daban patadas a una pelota.

—Tengo una pregunta y hay premio para la respuesta correcta.

—Muestra la plata primero.

—Busco el negocio del gordo Lalo —dije abanicándome con un billete de diez mil pesos.

—Te llevo —indicó uno de los muchachos arrebatándome el billete.

El negocio era una botillería, un lugar oscuro, muy fresco pese al olor a vino rancio, y un grupo de sujetos bebía cerveza disfrutando del aire acondicionado. No se veían como hermanitas de la caridad, salvo que el Vaticano haya autorizado el uso de tatuajes, cadenas y pulseras de oro. Me sentí desnudo sin la Makarov, pero, qué diablos, ya estaba ahí.

—Usted dirá —inquirió el que atendía el mesón.

—Quiero hablar con don Lalo.

—Se equivocó, aquí no hay ningún Lalo —dijo una voz de fumador con los bronquios al borde del colapso.

El grupo de bebedores de cerveza se hizo a un lado y, desde una mesa de formica al fondo del local, me observó con atención un gordo de edad indefinible, barba rala y canosa, que sudaba aun con el aire acondicionado puesto a temperatura polar. En los gestos, en las ojeras profundas y oscuras de aquel hombre había autoridad, de la peor.

—¿Podemos hablar, don Lalo?

—Usted debe tener un nombre, ¿no? Es lo que acostumbran hacer los padres, ponerles nombres a los hijos —murmuró el gordo, y los bebedores de cerveza celebraron su ingenio a carcajadas.

—Hace muchos años tuve un amigo aquí. Un hombre de verdad. Un hombre derecho. Se llamaba Aliro, el flaco Aliro. Tenía varios hijos y es posible que alguno de ellos siga vivo.

Mencionar al flaco Aliro tuvo el efecto de una carta de triunfo bien jugada. Cada grey tiene su santoral. Los bebedores de cerveza cuchichearon en voz baja hasta que la voz del gordo se impuso.

—¿Y quién busca al pariente de Aliro?

—Belmonte. Me llamo Juan Belmonte.

—Curioso. En España hubo un famoso torero que se llamó así. Tome algo mientras esperamos —invitó el gordo.

Acepté una cerveza afortunadamente muy fría, saqué los cigarrillos, ofrecí uno al gordo sudoroso, aceptó, y dos de los hombres se instalaron junto a la puerta para que ningún extraño entrara, y para que yo tampoco pudiera salir.

El gordo me escudriñaba con sus ojos cansados y le sostuve la mirada hasta que pidió una baraja de naipes y empezó a jugar un solitario.

Esperando en medio de un silencio apenas interrumpido por la respiración del gordo y al azote de las cartas sobre la mesa, pensé en Aliro, en el flaco Aliro.

Entre los años sesenta e inicios de los setenta no hubo en Santiago ningún robo que no fuera protagonizado por la gente de Aliro. Robos limpios, sin violencia contra personas, y si excepcionalmente un robo era cometido por otros, el botín siempre terminaba inexorablemente en las bodegas de Aliro. En esos años la derecha chilena acusaba a la izquierda de recibir armas de Cuba, de la Unión Soviética, de China, pero lo cierto es que las pocas armas de que disponíamos eran compradas en Argentina. Bastaba con viajar a Mendoza, entrar a una ferretería y salir de ahí con media docena de revólveres Ítalo calibre veintidós, o un par de subfusiles Marcati del mismo calibre, armas que, vistas de lejos, tenían aspecto de metralletas, pero no dejaban de ser matagatos tiro a tiro siempre y cuando no se encasquillaran tras el primer disparo. La otra fuente de suministros estaba en los bajos fondos, en el lumpen.

No fue fácil llegar hasta el flaco Aliro, un hombre consumido por los años de cárcel, por las palizas de la policía durante los interrogatorios. Nunca entregó a nadie y su silencio obstinado le granjeó un prestigio de guapo, de hombre derecho y leal. En su cuerpo había un mapa de cicatrices dejadas por puñales y la leyenda contaba que había sobrevivido a tres balazos. El flaco Aliro era serio, dueño de una calma que le permitía pensar y al mismo tiempo servía de abono a la crueldad indispensable de su autoridad entre los malandras.

Un día de 1968 aceptó recibir en su reducto de La Legua a dos muchachos que querían comprar unos fierros de calibre aceptable y, pese a que el Chino Leiva y yo teníamos un bello cuento sobre «cierto negocio», su presencia se impuso y decidimos confiar en él.

—Necesitamos los fierros para una acción política que usted no entendería —dijo el Chino Leiva.

—Mire. Si me lo explica a lo mejor entiendo. ¿O me está tratando de tarado? —respondió el flaco Aliro.

Entonces, de la manera más sucinta posible le hablamos de Bolivia, de la muerte del Che Guevara, de la guerrilla, del llamado hecho por el Chato Peredo, el último de la dinastía formada por Inti y Coco Peredo, a seguir la lucha guerrillera en las montañas del Teoponte.

—¿Con dos pistolas se van a lanzar a la guerrilla? —ironizó.

Le explicamos que esas armas eran para conseguir dinero de manera no precisamente legal, dinero que nos permitiría llegar a mejores armas y a formar a los que querían ir a combatir a Bolivia.

El flaco Aliro meditó mientras fumaba. Nos miraba y movía la cabeza, hasta que ordenó acercarse a varios hombres que observaban la escena. También llamó a cinco o seis de sus hijos, los más pequeños apenas empezaban a andar, y nos señaló con un dedo.

—Miren bien a estos dos muchachos y que quede claro que son mis invitados. A estos nunca les pasará nada malo en La Legua y pueden venir cuando quieran. ¿Y saben por qué? Porque estos dos son «choros» de aquí —dijo indicando con su mano el lugar del corazón.

En el lenguaje del hampa, ser «choro» significaba ser valiente, guapo, audaz, leal. Ese día salimos de La Legua con dos pistolas Ballester-Molina y varias cajas de balas, esas fueron las primeras armas del contingente chileno del ELN, el Ejército de Liberación Nacional.

Volví a verlo en dos o tres ocasiones, y en la última, mientras comíamos un asado, me confesó que no viviría mucho tiempo. Algo lo estaba pudriendo por dentro, tal vez un cáncer, tal vez la factura que siempre pasan los años de cárcel. Disimulaba los terribles dolores que lo acometían, y añadió que le avergonzaba la idea de morir en la cama.

Muchos años más tarde supe que murió de pie. El 11 de septiembre de 1973 un grupo de hombres de La Legua comandados por Aliro se enfrentó a los militares golpistas que asaltaron la barriada. El flaco Aliro vació varios cargadores de una metralleta Carl Gustav antes de caer acribillado a tiros.

Un hombre de aspecto cansado entró al oscuro local y se acercó hasta la mesa. La delgadez y los movimientos lentos acusaban al que carga años duros a la espalda. Pese a la barba de varios días reconocí en él los mismos rasgos de Aliro. Me miró y esbozó algo parecido a una sonrisa.

—Juan Belmonte, el estudiante. Nunca creí que volvería a verlo —saludó antes de abrazarme.

Ignoraba su nombre, tampoco sabía cuál de los hijos de Aliro podía ser, pero su saludo bastó para disipar la tensión y el gordo ordenó que abrieran una botella de whisky.

La botillería contaba con una puerta trasera disimulada tras unas cajas de cerveza, y conectaba con otras casas que servían de bodegas para la «merca» y otros bienes reñidos con la Organización Mundial de la Salud. En una de las viviendas, sobre un tapete verde me enseñaron algunas armas y escogí una Beretta PX4 calibre 9 milímetros con dos cargadores adicionales. Un fierro compacto apenas más largo que una mano extendida y fácil de llevar en un bolsillo. En otra casa vecina me hice con dos teléfonos celulares de última generación, y bebiendo unos tragos con el hijo de Aliro esperé a que el hacker de La Legua les instalara los chips conectados a servidores de telefonía y de internet, ambos de países remotos.

—¿Alguna cosita más? —preguntó el hacker.

—Dos cuentas de correo, invisibles.

—¿Entiende algo de ruso?

—Algo.

—Perfecto. Su IP es de un servidor de Uzbekistán.

La luz del ocaso lamía las calles de Santiago cuando salí de La Legua. La sombra de lo que fui era larga a esa hora, y todavía estaba de mi parte.

# 7
## Paralelo 57° Norte

Aquel día de febrero amaneció especialmente frío y la nieve era lo único que se podía mencionar como paisaje en la estepa de Cholokovsky. Faltaban dos o tres meses todavía para que el suelo se resquebrajara formando hilos de agua y más tarde arroyos cuyo rumor invitaría una vez más a los cucos a cantar desde el follaje alto de los abedules. Sólo entonces sería posible imaginar la vida en semejante lugar.

Los dos hombres en uniforme de camuflaje fumaban en la cabina de un Lada Niva color verde oliva. Desde ahí y con la calefacción puesta al máximo observaban al grupo de otros cuatro sujetos que se internaban entre los troncos tristes del bosque invernal.

—Esto sabe a mierda. ¿Qué demonios es? —exclamó uno, escupiendo y mirando el cigarrillo con recelo.

—Costo afgano, o por lo menos así lo venden en Rostov —respondió el otro expeliendo de su boca una espesa nube de humo.

—Mierda de talibán. Estamos fumando mierda de talibán. ¿Te acuerdas de esa marihuana fragante que se cultivaba en los Andes? Esa sí era hierba, costo, o como se llame.

—Siempre comparando. Cambia de tema.

—A tu orden, *tovarisch* comandante —contestó el aludido y abrió la puerta del vehículo para airearlo.

El más viejo del grupo de hombres que se movía entre los troncos encabezaba la marcha, y aunque todos vestían *cherkeska* gris hasta la mitad de los muslos, con cartucheras de cabritilla cosidas a los costados del pecho, la dignidad del viejo se evidenciaba en la *papakha* negra de piel de astracán. Los demás cubrían sus cabezas con *papakhas* de piel de carnero.

El viejo se movía con dificultad, sus botas se hundían hasta media caña en la nieve, y los otros tres acomodaban su andar elástico de veteranos de la guerra de Chechenia al ritmo cansado del anciano.

En el Lada Niva verde oliva los dos ocupantes daban cuenta de un trozo de queso. Con sus puñales cortaban gruesas rebanadas que se llevaban a la boca.

—¿Y a esto lo llaman queso? Estos hijos de Tarás Bulba fermentan vivas las ovejas. ¿Cómo demonios se traga esto?

—Se mastica sin pensar, se hace un bolo y adentro. Pero no te reprimas, vamos, compáralo con un queso chileno.

—A tu orden, *tovarisch* comandante. Cuando estemos en Chile iré a la fuente alemana, si es que aún existe, ordenaré un lomo completo, en pan de verdad, crujiente, rebosante de trozos de lomo de cerdo recién horneado, rodajas de tomate, puré de palta, chucrut, mayonesa, salsa de ají verde del más picante, y pediré además que le agreguen una gran porción de queso de Osorno o Puerto Octay fundido a la plancha. Queso de verdad.

—No tienes remedio. ¿Cuántos años llevas fuera de Chile?

—Treinta y ocho años, *tovarisch* comandante. Treinta y ocho putos años.

Víctor Espinoza aceptaba la sorna que acompañaba al trato de comandante. Alguna vez lo había sido, en los años gloriosos del socialismo perdidos en el desaguadero de la historia, y los galones de comandante los ganó como oficial de inteligencia en la operación Tormenta 333. Un 27 de diciembre de 1979 Leonid Brézhnev se cansó del extremismo y las excentricidades religiosas del presidente afgano Jafisula Amín, y dispuso que tropas de élite de la Unión Soviética entraran en la República Democrática de Afganistán, asaltaran el palacio de Tajbeg, eliminaran a Amín y a los trescientos hombres de su guardia pretoriana e instalaran a Babrak Karmal en el poder.

Por esa acción mereció los galones de comandante, además de una medalla al valor, que se convirtió en chatarra en 1991, cuando la Unión Soviética se disolvió y los guerreros de la aventura afgana se convirtieron en molestos pordioseros, o en mercenarios al servicio de los nuevos aristócratas implacables.

Su compañero, Pablo Salamendi, también cargaba como un molesto lunar el mismo rango militar, pero del «comandante Igor», como lo llamaban en el campo de formación militar de Punto Cero, muy cerca de La Habana, no quedaba más que el recuerdo de alguna muchacha cubana, y la tozudez de los jóvenes nicaragüenses formándose como tropas regulares para combatir a la Contra, a los mercenarios de Ronald Reagan.

Los nicaragüenses eran muchachos fogueados en el combate irregular, guerrilleros autodidactas a los que no podía enseñar nada de lo aprendido en la Academia Rodión Malinovsky. En 1983 esos muchachos no ansiaban más que regresar al combate en las selvas de su país, llegaban a Cuba desde una revolución triunfante pero amenazada, a la que debían defender, y muchos de ellos jamás habían oído de la Unión Soviética ni de *El arte de la guerra*, pues Sun Tzu para ellos no era más que un chino de los cojones.

En Punto Cero conoció a otros chilenos que también iban a Nicaragua a combatir a la Contra y, más tarde, si la geopolítica no disponía otra cosa, a la dictadura chilena. Sintió un deseo irrefrenable de unirse a ellos, pero los cubanos no permitieron que un oficial formado en la mejor academia militar del socialismo se convirtiera en guerrillero.

Salamendi recordaba una tarde junto a una botella de ron comprada en una «diplotienda» habanera y a un combatiente nicaragüense.

—Sandino dijo que nada se debe anteponer a la voluntad de luchar y que sólo los cobardes se someten a cualquier disciplina. Mira, hermano, yo luché en el Frente Sur el 79, y ahí conocí a varios chilenos, especialmente a uno con los huevos bien puestos. Se llamaba Belmonte y tenía lo que a ti te falta —había dicho el nica.

—¿Y eso qué es? —se atrevió a preguntar antes de meterse un buche de ron en el cuerpo.

—Entender eso que dijo Sandino, hermano.

Salamendi tragó la pulla del nica y hasta su memoria llegó la imagen del chileno extraño, tal vez huraño por su laconismo y afán de andar siempre solo, con el que se topó en contadas ocasiones en la Academia Rodión Malinovsky. Era uno de los que recibían formación como tiradores de élite, los *snipers* del coronel Stanislav Sokolov, más conocido como Slava.

De Cuba Salamendi regresó a Moscú y fue movilizado a Kabul para asesorar la formación de personal de inteligencia en las tropas afganas, hasta que una herida de la que tardó en reponerse lo convirtió prematuramente en veterano.

Salamendi había llegado a la Unión Soviética en 1972 como becario de la Universidad de los Pueblos Hermanos Patrick Lumumba. Su intención era graduarse en ingeniería de minas y volver a Chile para servir al proceso revolucionario chileno, pero vino el golpe de Estado de 1973, el fin del socialismo a la criolla, del socialismo sin lesionar ninguna libertad, lloró la muerte de muchos de sus compañeros y estimulado por el deseo de revancha decidió convertirse en militar soviético.

Salamendi no acostumbraba a pensar en el pasado, y su nostalgia chilena era apenas un conjuro para olvidar la tormenta que en 1991 arrasó con todo, con la historia, con el presente de lucha, con el porvenir científico de la humanidad, porque de todo eso no quedó más que un ejército de viejos tristes cargados de medallas, taciturnos héroes del trabajo, estupefactos héroes de la Unión Soviética, ateridas heroínas del comunismo, del baile, la ciencia y el deporte, que vieron cómo la patria soviética estallaba en mil pedazos y el capitalismo vencía sin disparar un solo tiro.

—¿Qué hacen los socios? —consultó Espinoza, y Salamendi se llevó los prismáticos a los ojos.

—Caminan. No. Se han detenido —contestó.

En el bosque de troncos y ramas desnudas el grupo de cuatro hombres se detuvo junto a un tronco petrificado. Ninguno sabía cuándo, en qué vetusta edad del planeta una riada cubrió de agua el árbol, y con el paso de los milenios su vida orgánica fue reemplazada por el vigor de la sílice, el cobre y otros minerales se apropiaron de sus venas, y la lignina y la celulosa dieron paso a la roca. Alguna vez las aguas se retiraron y el árbol seguía en su lugar, condensado en el metro que sobresalía del suelo, eternamente asido a la tierra rusa.

El viejo les ordenó que rodearan el tronco, y miró con veneración los restos color pizarra ante cuya presencia lo habían conducido al cumplir quince años y ya podía montar un caballo a medio domar. Su madre y el pope que asistía a la *stanitsa* le inculcaron respeto y recogimiento frente a ese vestigio de otros tiempos anteriores a la memoria de los hombres que, como la nación cosaca, resistió los rigores de todas las épocas gracias a su alma blindada por una materia más fuerte que la voluntad.

Con un movimiento enérgico desenvainó la *shash-ka* y la fría luz invernal arrancó destellos a la larga hoja curva del sable.

En el Lada Niva verde oliva los dos chilenos esperaban.

—¿En qué parte de la comedia estamos? —preguntó Espinoza.

—Cerca del clímax. Tengo enfocado al abuelo. Por sus gestos creo que repite lo de siempre, les habla de dios, la patria y un tipo que murió por nosotros.

—Deja los prismáticos y abre la botella de vodka.

—Es la orden más sensata que das en mucho tiempo, *tovarisch* comandante.

Los tragos de vodka bebidos a gollete calentaron más que la calefacción, y los dos hombres se relajaron.

—He estado pensando, *tovarisch* comandante.

—Nunca dejamos de hacerlo, hasta que estiramos la pata. En el funeral de Marx su socio Engels dijo: «El cerebro más grande de la humanidad ha dejado de pensar». *Nazdarovia.*

—¿Recuerdas al coronel Stanislav Sokolov?

—Slava. Ahora es un oligarca. Hace unos meses lo vi en Moscú, yo a pie y él en un flamante Mercedes Benz. ¿Por qué?

—Recuerdos, nada más. A sus órdenes se formaba un francotirador chileno. ¿Se llamaba Belmonte?

—No lo sé, tal vez. Un tipo raro y solitario. Nunca supe qué fue de él.

Junto al tronco petrificado los tres hombres jóvenes extendieron sus brazos derechos, las tres manos envolvieron la hoja del sable, y apretaron los puños hasta que la sangre goteó sobre el fósil formando un delgado manantial escarlata que escurrió hasta la base.

A un gesto del viejo abrieron las manos ensangrentadas, se ayudaron unos a otros con el espray desinfectante y las vendas, recibieron la última bendición del anciano y emprendieron el regreso hasta el vehículo custodiado por los mercenarios chilenos.

Tenían un largo viaje por delante, a un país que, al parecer, era lo más cercano al fin del mundo.

# 8
## Paralelo 33° Sur

Antes de abandonar el hotel puse mis bienes sobre la cama y los revisé a conciencia. Los teléfonos celulares tenían las baterías cargadas y me alivió comprobar que el cable cargador era apto para los tres. Quité el magazine a la Beretta e hice correr el mecanismo que permite alojar la primera bala en la recámara. Funcionaba de manera impecable y silenciosa, así que devolví el magazine a su lugar en la empuñadura y empecé a sentir la calma que da saberse protegido. Luego tomé uno de los teléfonos y marqué un número memorizado hacía ya bastante tiempo.

La voz de Eladio se alegró al reconocer mi gruñir de fumador.

—Belmonte. Qué sorpresa, hermano. ¿Estás metido en algún lío?

Eladio tenía un nombre y apellidos, pero para mí siempre sería Eladio, uno de los integrantes más jóvenes de la escolta del presidente Allende, del GAP, uno de los hombres que combatieron en defensa del palacio de La Moneda, uno de los que sobrevivió, aunque herido, y no terminó torturado, asesinado y hecho desaparecer como ocurrió con la mayoría de los GAP, del puñado de combatientes que se enfrentó a cientos de soldados.

—Algo de eso hay, hermano. Necesito un lugar seguro, en Santiago.

Sentí la respiración de Eladio y lo imaginé llevándose una mano a la cabeza calva, mirando el mar de San Antonio, y avanzar con su cojera fruto del combate en La Moneda hasta la mesa de trabajo.

—Llámame en media hora. ¿Necesitas algo más, Belmonte?

—Conversar un vino contigo. Pero será más adelante.

La segunda llamada que hice fue a Quellón, a la pensión de doña Anita. Pedro de Valdivia respondió de inmediato.

—Por fin, jefe. Hace horas que estoy pegado al teléfono.

—¿Cómo está Verónica?

—Mirando el monumento que tanto le gusta. No se preocupe, jefe.

En Quellón, junto al mar color acero, hay una enorme guitarra de madera y un letrero que pone MONUMENTO A LA JUVENTUD DE LOS 70. Algo tiene esa guitarra, pues Verónica la observa durante largos ratos cada vez que viajamos a Quellón por vituallas y caminamos por la costanera hasta que el hambre y el viento frío del Pacífico nos hacen regresar a la pensión.

—¿Has visto cosas raras?

—Cuando salíamos de la casa en la camioneta con don Silva nos cruzamos con un bus de las Fuerzas Especiales. En él iban unos veinte hombres con uniformes de combate. Todo esto, jefe, ¿es malo o es peor? —consultó el Petiso.

—Dejémoslo en malo, por ahora. Mantén las orejas bien paradas.

Pedro de Valdivia me llegaba a la altura del pecho y, aunque tenía la cabellera cana, no había cambiado sus hábitos desde el día que lo conocí, veinte años atrás, en Hamburgo, justo el día de mi cuarenta y cuatro cumpleaños. Nunca me atreví a preguntarle si el gorro de lana azul que se encasquetaba hasta las cejas era el mismo de su primera aparición en mi vida, o si era parte de su organismo.

—Jefe, hace un rato Verónica me miró fijo a los ojos, es cierto que no habla, pero la entendí y le dije que todo estaba bien.

—Gracias, Pedro.

—Y algo más, jefe. Me indicó la pistola, se la pasé, la revisó y se quedó con ella. Pero sin miedo, jefe. En esos ojos tan bonitos no hay ni pizca de miedo.

—Pedro, ¿te acuerdas de Kramer?

—No lo conocí, pero no lo olvido. Ese tipo me debe una noche en cana y la pateadura que me dio la pasma en Hamburgo. Claro que a usted lo metió en un lío peor y casi le vuelan la pata izquierda.

Tenía buena memoria el Petiso. Un ex agente de la Stasi me atravesó el pie con una bala calibre nueve milímetros en un lugar perdido de la Tierra del Fuego, anduve cojo un par de años hasta que los huesos soldaron definitivamente y la huella de esa bala es una cicatriz más, o un diploma indeseado en mi currículo de viejo guerrillero.

—Kramer me ha encontrado y debo hacer algo para él. Tu misión es cuidar de Verónica y sé que siempre puedo contar contigo.

—Tranquilo, jefe. Duermo con un ojo abierto.

Colgué, y una vez más agradecí a la vida que el Petiso se pegara a mí como una lapa veinte años atrás. Sabía que velaría durante el reposo de Verónica, que estaría atento mientras ella se sumía en un sueño plácido pero breve, pues en cualquier momento sus manos se crisparían, asirían las mantas con desesperación y de sus labios férreamente apretados escaparían apenas unos gemidos de otros tiempos, de los tiempos del silencio forzado, del silencio que exasperaba a los torturadores de Villa Grimaldi y permitía a los compañeros de la resistencia ganar unas preciosas horas para reorganizarse. Y esta vez yo no estaría junta a ella acariciando su larga cabellera, musitándole en susurros «habla, compañera mía, diles mi nombre y dónde encontrarme, deja de protegerme con tu silencio, pues ya no pueden hacernos daño», hasta que sus manos se relajaran y en sus labios anidara una vez más la dulce expresión que amo, la sonrisa emergente entre las brumas del pasado atroz.

Volví a llamar a Eladio y, como siempre, cumplió.

—Te conseguí un departamento en la avenida Lyon, es de un periodista amigo que no está en Chile, suele recibir gente y nadie se sorprenderá al verte entrar y salir. En una hora más una compañera joven te espera en un restaurante cercano que está en Juana de Arco y Guardia Vieja, muy cerca de la casa del doctor. La compañera va a estar sola leyendo *Le Monde Diplomatique* y te dará las llaves. Tú simplemente dile que eres amigo mío.

—¿Le digo tu nombre o tu chapa?

—Para ella soy Eladio, como en los viejos tiempos. Belmonte, ¿estás metido en un lío gordo?

—Creo que sí, y espero que el asunto salga bien.

—Si necesitas una mano, ya sabes que cuentas conmigo.

Entregué la tarjeta magnética en la recepción, pagué la habitación aunque no había pasado ni una noche en ella y me eché a andar por las calles silenciosas del Santiago nocturno. Por fortuna el calor había disminuido y los frondosos árboles del barrio Providencia entregaban un frescor estimulante. El restaurante no estaba lejos, así que decidí ir caminando hasta la calle Guardia Vieja.

«Cerca de la casa del doctor», había dicho Eladio, y moviéndome a pasos lentos como un vecino más que sale a caminar para conciliar el sueño, busqué el número 392 de la calle Guardia Vieja, la casa del doctor, la casa de Salvador Allende.

Seguía igual a como permanecía en mi memoria. Los miembros del GAP, el Grupo de Amigos Personales, la escolta de Allende, solíamos referirnos a él como «el doctor», no tanto por su profesión de médico, sino porque el respeto y la admiración que sentíamos en su cercanía nos impedía tratarlo de compañero o de presidente.

Me acerqué a la reja de hierro negro y, al atisbar hacia el interior del antejardín, la luz de la calle proyectó mi sombra hasta casi alcanzar la puerta. La sombra de lo que fui entró a esa casa cuarenta años después de que lo hiciera mi cuerpo de hombre joven, con apenas veinte años, y la decisión de jugarme el pellejo por ese hombre, por «el doctor», que representaba el mejor sueño posible.

La muchacha me entregó las llaves, me dio algunas indicaciones sobre dónde encontraría sábanas y toallas, así como la contraseña para la señal wifi y se retiró con discreción. El restaurante se veía agradable y, recordando que no había comido en todo el día, ocupé una mesa en la terraza. Ordené un plato de pasta, una cerveza Kunstmann Torobayo muy fría, y mientras cenaba bajo las estrellas tracé el plan para dar con mis dos antiguos compañero de la Academia Rodión Malinovsky, de las Fuerzas Acorazadas Soviéticas.

# Segunda parte

En la antigüedad, los que eran conocidos como
buenos guerreros vencían cuando era fácil vencer.

Sun Tzu, *El arte de la guerra*

# 1
## Paralelo 30° Sur

El Centro de Detención Cordillera más que una
cárcel parecía una instalación veraniega, una suerte
de balneario o retiro espiritual, y sólo la presencia de
soldados fuertemente armados indicaba que los vera-
neantes no estaban ahí de manera voluntaria.

El cosaco trotaba por el sendero de pastelones que
unía los cuatro bungalows construidos para alber-
gar a diez criminales condenados a siglos de encierro.
A ratos se detenía para recuperar aliento y, a través
de las alambradas, miraba las montañas cercanas, desnudas de la nívea capa invernal y que ahora mostra-
ban un color gris como la piel de un burro o un
uniforme militar.

De lejos vio que junto a las oficinas de dirección
del centro se paseaba el general Contreras, ese pedazo
de mierda sin honor —así lo llamaba— que para
salvar su pellejo había repartido culpas entre todos
los oficiales del ejército detenidos en el lugar. Decidió saludarlo a su manera.

—Mi general, se dice que está meando y cagando
sangre —gritó.

El aludido se limitó a mirarlo con desprecio.

Al cosaco le había caído una nueva condena de diez años de cárcel que se sumaba a las otras penas recibidas. Esta vez se trataba de la detención ilegal, torturas, asesinato y desaparición de Alfonso Chanfreau Oyarce, un estudiante de filosofía que en 1974 pasó por el templo del horror de Villa Grimaldi o Cuartel Terranova, el reino del cosaco.

Se detuvo a descansar a la sombra de una de las pagodas del jardín, y sintió que los sesenta y ocho años empezaban a pesarle. Su cuerpo ya no tenía el vigor y la elasticidad de los buenos tiempos en que el grado de brigadier antecedía a su nombre, y al aura de miedo que imponía su presencia. Un rápido ejercicio mental le recordó que ya sumaba un siglo y medio de condenas.

Al cosaco no le dolía tanto la venganza de los marxistas bolcheviques a los que su familia combatía desde hacía ya casi cien años, como la traición de sus camaradas de armas.

Desde el mismo instante en que Pinochet declaró no tener idea de lo que habían hecho sus oficiales subalternos, ni la tropa, desde que negó como un miserable indigno del uniforme sus órdenes de limpiar el país de comunistas, socialistas, miristas, sindicalistas y cualquier opositor, los generales empezaron a culpar a los coroneles, estos a los capitanes, a los tenientes, y así el ejército chileno se vio convertido en una banda de delatores desesperados.

En las postrimerías del régimen militar —como llamaban a la dictadura—, la oficialidad encargada de aniquilar a los opositores hizo un pacto de honor, un juramento con la mano sobre la Biblia, que evitaría encontrar los cuerpos de los miles de desaparecidos, si es que algo quedaba de ellos en el fondo del mar. Se conjuraron para negar los degollamientos, asesinatos disfrazados de accidentes o quema de estudiantes vivos, realizados como venganza tras el atentado que, por un pequeño margen de error, no terminó con la vida de Pinochet. Este juramento se extendió también a la tropa e incluso se llegó a un segundo pacto de silencio, esta vez entre militares y civiles ansiosos por ocupar el poder. Ese pacto impedía, «para proteger a las víctimas», según decía la extraña redacción, que los nombres de oficiales y tropa involucrados en asesinatos, robos de niños y desapariciones se dieran a conocer antes de cincuenta años.

Se acomodó en una silla de plástico y desde ahí vio a otro de los que le repugnaban, el coronel Pedro Espinoza, condenado por los asesinatos en Estados Unidos del ex canciller Orlando Letelier y su secretaria Ronni Moffitt. Espinoza violó el pacto y habló hasta por los codos, y muchos de los sesenta y cuatro ex oficiales que cumplían condena en ese centro y en Punta Peuco, el segundo club exclusivo para uniformados, juraron vengarse.

«Pero los rusos no me abandonarán», musitó el cosaco.

Las esperanzas de un indulto eran cada día más frágiles, y al recordar que los alemanes amigos de Colonia Dignidad no abandonaron a su suerte al capitán Klaus Kosiel Horning, uno de los más hábiles en el arte de degollar prisioneros atados con el puñal malayo o «corvo», sintió que la brisa de la cordillera le llenaba de confianza los pulmones.

Los abogados del capitán movieron viejas amistades en Baviera, les recordaron los magníficos banquetes ofrecidos a Franz Josef Strauss en el club militar, las noches con apetitosas vírgenes alemanas y efebos en los barracones de Colonia Dignidad, y lograron que, en aras del intercambio comercial y la amistad chileno-alemana, liberaran a Kosiel Horning de los cargos de asesinatos y desaparición de personas. Le cayeron sólo cinco dulces años de libertad vigilada por su probada participación en las torturas a veintitrés prisioneros.

Los alemanes tampoco olvidaron a la teniente de carabineros Ingrid Olderock, que torturaba en Villa Grimaldi y hacía que su perro pastor violara prisioneras, sobre todo a las más jóvenes y judías.

También en nombre de la tradicional amistad chileno-alemana, la justicia exoneró a Ingrid Olderock declarándola mentalmente incapacitada para enfrentar un juicio tras sufrir una acción de venganza del pueblo por parte de guerrilleros del Movimiento de Izquierda Revolucionaria. En 1981 le metieron una bala en la cabeza y murió en su casa veinte años después. Tras recibir el balazo, la Olderock no podía articular palabras, se movía con dificultad, pero no por eso dejó de entregarse al mayor de sus placeres, la zoofilia.

Al cosaco le había gustado esa mujer porque era una nazi auténtica, fanática, y una perversa exhibicionista que, después de torturar a alguna prisionera, salía del cuarto de interrogatorios con la respiración alterada por la excitación, se quitaba el uniforme de combate a tirones, y se tiraba desnuda en cualquier camastro para que su perro *Volodia* la fornicara a la vista de todos.

«No, los rusos no me dejarán solo», masculló el cosaco, y se acomodó en la silla. Con una mano hizo un gesto a un soldado que hacía su ronda de vigilancia indicando que todo estaba bien y solamente descansaba del ejercicio, mientras con la otra mano sacaba una hoja de papel del bolsillo interior de la cazadora.

Era una carta escrita en ruso, remitida desde Astraján hacía tres años, y para el cosaco había sido el más inesperado pero alentador regalo de cumpleaños.

Para el respetadísimo Brigadier General de las Fuerzas Armadas de la República de Chile Mijaíl Semionovich Krasnov (Miguel Krassnoff)
de parte de la Organización Cosaca Razin-Jutor, Astraján, Rusia.

Vuestra Excelencia Mijaíl Semionovich:
Los cosacos del Jutor de Razín hemos recibido con mucha emoción y alegría el libro de la señora G. Silva titulado *Miguel Krassnoff. Prisionero por servir a Chile.* Gracias a este libro se abrieron para nosotros diversos episodios de vuestra biografía, antecedentes que desconocíamos.

Nosotros deseamos que usted, Mijaíl Semionovich, que se encuentra en un país tan alejado de nuestra patria, se sienta fuertemente ligado con nosotros, los cosacos de Astraján. Por esta razón le enviamos el escudo de armas de los Cosacos de Astraján y el documento que, a partir de ahora, lo identifica oficialmente como Atamán de los Cosacos de Astraján, con mando supremo sobre todas las stonias cosacas.

Conocedores de su profundo interés por la historia de su familia, además le adjuntamos el libro titulado *Atamán Krasnov y el Ejército del Don. Año 1918,* del autor A.V. Venkov.

Le deseamos con todo nuestro corazón que tenga una excelente salud, largos años de vida y que continúe manteniendo estoicamente vuestra actitud y destacada fuerza.

Finalizando esta carta, respetado Mijaíl Semionovich, nuestra directiva solicita vuestra autorización para que los Cosacos de Astraján podamos dirigirnos al Presidente de la República de Chile para exigirle la inmediata aplicación de la amnistía para su persona.

Saluda a usted con profundo respeto,

Atamán de los Cosacos de Astraján
E.P. Voroiev
*Astraján, Rusia, 21 de enero de 2008*

El cosaco dobló en cuatro la carta, volvió a meterla en el bolsillo de la cazadora, se incorporó y emprendió el regreso hasta su bungalow de prisionero.

—No, los rusos no me dejarán solo. Pero no puedo esperar cien años —murmuró mientras caminaba.

# 2
## Paralelo 55° Norte

Los cinco hombres pasaron separadamente el control policial del aeropuerto de Moscú y se reunieron en la sala de embarque. Todavía disponían de un par de horas antes de iniciar el viaje que los llevaría primero a Ámsterdam, enseguida a São Paulo, hasta culminar, tras casi treinta horas de vuelos y escalas, en Santiago de Chile.

—Vamos a ver si hay algo potable —dijo Salamendi.

Espinoza se incorporó, miró a los tres rusos que respondieron con un gesto afirmativo y siguió a su compañero.

En el bar ocuparon dos taburetes y ordenaron vodka Nemiroff, el licor ucraniano de cuarenta grados y aroma de abedul. Bebieron en silencio, hasta que Salamendi liberó lo que ocupaba sus neuronas.

—Siempre imaginé un retorno a Chile muy diferente. ¿Y tú, *tovarisch* comandante?

Espinoza ordenó que llenaran los vasos una vez más. Él también había imaginado un regreso a Chile diferente y en un tiempo diferente, aunque ya no pensaba en esas diferencias. De su salida del país algún día de 1976 apenas retenía retazos que le recordaban el hambre, la desazón y el frío padecidos luego de la caída de su contacto. La peor orfandad era quedar descolgado del partido, sin órdenes, sin instrucciones, sin saber si el contacto caído había resistido las torturas o si había cantado y ya no quedaba más militancia que él, solo como un náufrago en medio de un mar de aguas espesas.

Llevaba tres años en la clandestinidad, moviéndose bajo identidades falsas, durmiendo en casas de seguridad que nada tenían de seguras, bajo las miradas implorantes de quienes le daban cobijo y sin palabras le rogaban que se fuera y no regresara jamás. Siempre con la pistola Browning bajo la almohada y el índice rozando el gatillo, siempre en duermevela y hasta deseando que de una maldita vez llegaran los esbirros de la dictadura para fajarse a tiros, y, si no lo mataban ellos, la última bala de la pistola tenía su nombre.

Cuando logró retomar contacto con el partido, al anuncio de «estás quemado, compañero, y hemos decidido sacarte del país», asintió con un movimiento de cabeza y del resto del discurso apenas retuvo el país de destino, México, el día y la dirección a la que debía presentarse para recibir un pasaporte y algo de dinero.

Los días previos al viaje los empleó en despedidas rápidas, llenas de mentiras porque la clandestinidad exigía continuar la farsa de vidas ficticias, multiplicadas hasta que el yo íntimo desaparecía entre la niebla de las realidades inventadas. El último recuerdo de

Chile que se negaba a la disolución era una tarde en el zoológico, con el hijo que recién había cumplido seis años.

—No me gusta el zoológico —dijo de pronto el niño.

—A mí tampoco. Tal vez no nos gusta por el mismo motivo.

—Todos los animales están tristes —agregó el niño.

—Ni a los animales ni a los hombres nos gusta estar en una jaula —indicó acariciando la cabeza del hijo, y no le gustó esa miserable definición de libertad.

Salieron del zoológico y en el viejo funicular del cerro San Cristóbal subieron hasta la cumbre para mirar el ocaso mientras tomaban un helado.

—Camilo, tengo que hacer un viaje y es posible que no nos veamos durante un largo tiempo, pero cuando regrese todo será diferente. Iremos al sur. ¿Te gustaría ver ballenas, delfines, focas y pingüinos?

El niño no respondió, en silencio bajaron del cerro, en el mismo silencio envolvente caminaron hasta la estación del metro, y el silencio era asfixiante al llegar hasta la puerta de una casa. Ahí entregó al hijo un sobre con el dinero que le dieron para salir del país.

—Esto es para la mamá. Abrázame, Camilo.

El niño lo abrazó, y le costó zafarse de sus pequeños brazos y empujarlo hasta la puerta de la casa.

Antes de entrar, el niño se volvió y musitó un

«papá» que Espinoza no escuchó, pues su atención se centraba en los autos que pasaban, en las gentes apresuradas, en las ventanas de los edificios, en el peligro latente que sólo podía ser conjurado echando mano a la Browning con trece balas en el cargador y una en la recámara.

Del viaje a México apenas recordaba la sensación de alivio sentida cuando el avión dejó atrás la cordillera de los Andes, el sabor del whisky que pidió a la azafata y que bebió a sorbos, uno por cada compañero caído, y a los que regresaría a vengar algún día.

—Regreso algo más viejo. Eso es todo —dijo Espinoza apurando su vaso, y con un gesto ordenó al camarero una tercera ronda de Nemiroff.

Salamendi acariciaba el vaso como buscando palabras en el roce de sus dedos contra el vidrio frío.

—Suelta el discurso —ordenó Espinoza.

—No me gusta la compañía, no para lo que vamos a hacer.

Espinoza le puso una mano en un hombro antes de hablar.

—El asunto es que vamos a darnos un gusto que la historia parecía habernos negado para siempre, *tovarisch*. Vamos a escribir el fin a la historia.

Salamendi quiso agregar algo, pero en ese momento los altavoces del aeropuerto llamaron a embarcar.

# 3
## Paralelo 33° Sur

El taller de reparaciones estaba en la avenida Recoleta, muy cerca del cementerio, y lucía un colorido mural que cubría enteramente el portón de latón. Mostraba montañas nevadas, araucarias, un lago y una parodia de descapotable en el que viajaban tres barbudos. Y el nombre no podía ser más incitador: TALLER LOS BUENOS MUCHACHOS.

La pintura tenía el sello inconfundible de los murales pintados por Alejandro González, «el Mono», que adornó cientos de muros de Chile y Europa con sus obras siempre ligadas a la estética de la Brigada Ramona Parra.

Me bastó con empujar ligeramente una de las hojas del portón y entré al taller. Había varios autos con los motores a la vista, con los capós levantados como si bostezaran agradecidos por el reposo. Vi a un hombre en el foso, empeñado en soldar los bajos de un vehículo y bajé hasta ponerme detrás de él.

—Un movimiento falso y te doy un beso —dije poniendo un dedo en su cogote.

Se giró, apagó el soldador, se quitó la máscara que le protegía los ojos y estalló en una carcajada.

—¡Belmonte! —exclamó, para a continuación medio asfixiarme en un abrazo.

A los pocos minutos me vi sentado frente a una mesa al fondo del taller. Ahí estaban Ciro, el soldador, Marcos y, algo alejado, Braulio, que tiraba unas longanizas a una parrilla. Esos no eran sus nombres reales, pero en mi memoria siempre se llamaban Ciro, Marcos y Braulio, compañeros del Ejército de Liberación Nacional, sobrevivientes de la guerrilla del Teoponte en Bolivia, del Frente Sur en Nicaragua, y de los combates contra la dictadura en Chile. Los cuatro pertenecíamos a una cultura extinguida en la que no importaba el nombre que aparecía en la fe de bautismo, sino el nombre de guerra elegido para morir.

—¿Hay algún motivo para brindar? —preguntó Marcos sirviendo un vino blanco muy frío.

—Seguimos vivos. Y eso no es poco —comentó Braulio.

—Por nosotros, los que quedamos —propuse.

—Cada vez somos menos. Les ha dado por morir a los viejos —dijo Braulio levantando el vaso.

Tras comer la sabrosa longaniza les expuse los motivos por los que estaba ahí, y les enseñé la fotografía de los dos hombres a los que debía encontrar.

—A este lo conozco. Lo vi en Cuba, en Punto Cero, su chapa era Igor, un oficial de inteligencia educado en la Unión Soviética —señaló Ciro.

—Encontrarlos, ¿y qué más? —quiso saber Braulio.

Brevemente les explique el lío en que me encontraba y la necesidad de dar con esos dos para que me dejaran tranquilo en mi retiro de guerrillero jubilado. Encontrarlos y nada más. Esa era toda la misión.

—Este otro me resulta familiar, claro que todos hemos cambiado, estamos canosos o pelados, gordos o esmirriados. Si el austriaco Alzheimer no me engaña, era comunista, del equipo de los duros, estuve cerca de él en una acción de castigo el año 75. En ese tiempo, en las acciones de resistencia coincidíamos dándonos apoyo y en esa ocasión ajusticiamos a un oficial especializado en robar bienes. Visitaba a los familiares de prisioneros políticos y les ofrecía la libertad del marido o la hija a cambio de que pusieran la casa a su nombre, y al conseguir lo que quería, esos prisioneros morían en intentos de fuga. Pero lo conozco de antes, ya me están funcionando las neuronas. Si no me equivoco se llama Espinoza, Víctor Espinoza. Este tipo y yo crecimos juntos en barrio Vivaceta —precisó Marcos.

Ya tenía la identidad de ambos e información que me acercaba a la sombra de lo que fueron en Chile. Todo se puede borrar, menos esa sombra.

De mis antiguos compañeros del ELN, los «elenos», no podría averiguar más. Los tres habían regresado a Chile en los últimos años de la dictadura, participaron en acciones de propaganda armada, apoyaron y admiraron a los jóvenes combatientes del Movimiento de Izquierda Revolucionaria y del Frente Patriótico Manuel Rodríguez, que se lanzaban a la muerte obedeciendo las órdenes de sus dirigentes, que, desde Moscú, Berlín o La Habana, se autoconvencían de los más disparatados análisis y a la postre terminaron como generales sin tropas, porque esos heroicos muchachos y muchachas, si bien es cierto que dieron muestras de valor, también lo es que desconocían Chile, su historia reciente y, lo peor, nunca habían combatido contra un ejército regular dotado de las mejores armas. Como muchos de los veteranos combatientes de los años setenta y ochenta, mis compañeros habían visto el acomodo de antiguos dirigentes, las conversiones de revolucionarios metamorfoseados en paladines del neoliberalismo o en simples parásitos del Estado. Igual que otros muchos militantes de izquierda se habían descolgado del Partido Socialista para no ser cómplices de los administradores de la desesperanza.

—Bueno, veremos qué más podemos encontrar —dijo Ciro, y lo seguimos hasta la oficina del taller.

Antes de iniciar el ordenador, Ciro pensó en voz alta.

—Esos dos tipos son como nosotros, saben moverse, pero las fotos en el aeropuerto dicen que han perdido algunas de las buenas costumbres. Las voy a escanear antes de hacer unas consultas.

Así lo hizo y enseguida las envió a un sobreviviente del Frente Patriótico Manuel Rodríguez. La respuesta no se hizo esperar demasiado.

—¿Qué pasa con estos?

—¿Están en el negocio?

—No. Nunca estuvieron. Tenían puestos en la casa matriz de la empresa. Nunca visitaron esta sucursal.

—¿Es posible que busquen antiguos socios para abrir un negocio por su cuenta?

—No lo creo. Nuestra mercadería está obsoleta. Ya no hay mercado para lo nuestro. ¿Algo más?

—Sus nombres, siempre y cuando nadie resulte quemado.

—¿Se puede quemar de nuevo un bosque luego del incendio? El más alto se llama Víctor Espinoza, el otro Pablo Salamendi. Los dos fueron testigos a distancia del fin de la historia, de nuestra historia.

Quedaba entonces claro que no recurrirían a viejas lealtades entre camaradas y en algún lugar de Santiago tendrían que vivir esos dos hombres y sus acompañantes.

El siguiente paso fue tomar como referencia la fecha de la fotografía del aeropuerto moscovita y, a partir de ella, rastrear entre las agencias inmobiliarias que ofrecían casas y departamentos en alquiler. Cualquiera que fuera el motivo que los traía a Santiago era por poco tiempo y necesitarían un lugar amueblado, y si eran más de cuatro, lo más indicado era una casa. Esto reducía considerablemente la búsqueda y, teniendo en cuenta que esos tipos no querían dejar huellas, lo más probable era que hubieran hecho un alquiler *online*, desde donde salieron. No eran muchas las ofertas de casas para alquileres temporales y ofrecidas en dólares, no en las extrañas Unidades de Fomento, el sucedáneo chileno del dinero que aumentaba cada día el valor de las cosas. Finalmente hicimos una lista de las casas que nosotros alquilaríamos como base o casa de seguridad y la búsqueda se redujo a cinco. Dos de ellas se habían alquilado días antes del 12 de febrero.

Al mediodía el calor de Santiago empezó a sentirse como una maldición en el taller, y los Buenos Muchachos se preocuparon de mi equipamiento. Al mostrarles la Beretta hicieron gestos resignados, alguno comentó «simpático el fierrito», me indicaron que si precisaba algo más potente ellos todavía disponían de algunos fierros y se negaron a dejarme marchar sin un vehículo. Se ganaban la vida reparando autos condenados al desguace y salí del taller conduciendo un coche impecable, hasta con aire acondicionado.

Poco antes de las tres de la tarde cambié dos mil euros por pesos chilenos en una de las casas de cambio que no piden documentos de identidad, y enseguida me dirigí hasta los aledaños de una de las dos casas posiblemente alquiladas por los hombres que debía encontrar.

Era un chalet típico del barrio Ñuñoa, con un pequeño antejardín en el que florecían las hortensias, precedido de una reja de barrotes de hierro forjado. Pasé lentamente frente al chalet, di una vuelta a la manzana y me estacioné a la sombra de un frondoso árbol a unos cincuenta metros.

No tardé demasiado en descubrir señales de vida en la casa. Unos niños rubios en traje de baño empezaron a tirarse agua con una manguera en el antejardín. Al poco rato apareció una mujer también rubia, tal vez europea, y se unió al juego de los niños. Era una mujer bella, se notaba despreocupada, relajada, no había nada de la alerta que marca al clandestino en sus movimientos. Esa no era la casa.

Se estaba bien a la sombra del árbol y con el aire acondicionado del coche a tope. Tomé un teléfono e hice una llamada.

—¿Todo bien, jefe? —saludó el Petiso.

—Calma chicha, Pedro. ¿Y por ahí?

—Ayer allanaron la casa, jefe. Pero estaba limpia y parece que no se llevaron nada. Un allanamiento raro, jefe. El hijo de don Silva fue de madrugada a echar un vistazo y según dice no faltaba nada, el televisor y la radio seguían en su sitio. No se notaban destrozos, todo muy raro porque, como es tradición, cuando allanan una casa se roban hasta el gato.

—¿Y Verónica?

—Bien, jefe. Tranquila, con esa mirada que parece buscar algo en el mar y siempre con la Makarov al alcance de la mano. De repente me mira y yo siento que me agradece algo, pero ni ella ni usted tienen nada que agradecerme, jefe. Somos compañeros.

—Te debemos más de lo que imaginas, Petiso. Dile que estoy bien y mantén las orejas muy paradas.

Tenía razón el Petiso. Verónica buscaba algo en el mar, en el horizonte, algo muy suyo y que extravió en ese lugar maldito llamado Villa Grimaldi. En la clínica danesa del doctor Christiansen especializada en víctimas de torturas, al darla de alta dieciocho años atrás, el mismo doctor me ordenó olvidar el «la rompieron por dentro» que me roía el alma, si es que tengo ese apéndice del sufrimiento, y me explicó que nada estaba roto, mi compañera había resistido el dolor haciendo que su yo íntimo, feliz, de mujer joven, huyera lejos en un viaje similar a eso que los místicos llaman viajes astrales, y su silencio, su mirada atenta al horizonte era una búsqueda de sí misma, un seguir sus propias huellas hasta dar con la mujer de veinte años, invitarla a que la habitara de nuevo y volver a ser completa, invicta, inquebrantable.

Sí, podía ver a Verónica asomada a la ventana frente al mar de Quellón, custodiada por el Petiso y atendida por la noble señora Anita, esa mujer que me la devolvió cuando la creía muerta, y que en una carta remitida desde Santiago a Hamburgo me narró cómo la habían encontrado, desnuda y con apenas signos de vida en un basural, junto a otras víctimas de los militares, justo el día 19 de julio de 1979, el mismo día que entré a Managua como combatiente de la Brigada Internacional Simón Bolívar. La cuidó y protegió durante largos años, pese a no ser una militante supo moverse entre los círculos clandestinos hasta que dio conmigo y así recuperé la esencia del amor. Al regresar a Chile, con parte del dinero que me pagó Kramer por el primer trabajo que hice para él, la llevamos con nosotros al sur y le compré la pequeña pensión de tres habitaciones que administraba.

Eché a andar el auto y puse rumbo a la segunda

casa, en la comuna de La Reina. Era una casa de construcción moderna, de dos plantas, y lo primero que atrajo mi atención al pasar frente a ella fue ver todas las persianas bajas. Estacioné el coche en una calle cercana y me dirigí hasta un edificio de varias plantas levantado casi frente a la casa. Elegí un timbre al azar y llamé.

—¿Quién es?

—La luz. Vengo a revisar los contadores.

—Te abro.

Ignoré el ascensor y empecé a subir por la escalera desde cuyas ventanas de los entrepisos se veía la calle y la casa. A la altura de la sexta planta tuve una panorámica completa. La casa tenía un jardín con piscina en el patio, justo detrás del garaje herméticamente cerrado, y, pese a los casi treinta y seis grados de calor, nadie se bañaba.

Encendí un cigarrillo y esperé sin que nada se moviera en la casa. No me importó, sé esperar, después de todo fui un *sniper* formado bajo la tutela de Slava y enterrado en la nieve aprendí el arte de la paciencia.

A eso de las siete de la tarde sentí que la puerta del edificio se abrió varias veces. Era gente que regresaba del trabajo y más de uno desconfiaría de un tipo fumando en el descanso de la escalera. Eché mano a uno de los teléfonos celulares que me dio el hacker de La Legua y comprobé con satisfacción que disponía de cuatro gigas de acceso a internet. Busqué una pizzería en el barrio, entré a la web y tras dar una de mis direcciones de correo google accedí al chat. Ordené dos pizzas Margarita y dos cervezas. El operador del chat me informó de una oferta especial, tres pizzas, bebidas y postre gratis. Acepté y elegí tres porciones de tiramisú. A la pregunta de cómo iba a pagar escribí que al contado en el domicilio, y di la dirección de la casa. Llegarían en quince minutos y pedí que vinieran bien calientes. Un minuto más tarde recibí un email con la confirmación del pedido.

El motorista de Pizza Nostra llegó con puntualidad exquisita. Detuvo la moto, se quitó el casco, abrió el portapizzas y sacó los tres bandejones de cartón y una bolsa plástica con las bebidas y los postres. Llamó a la puerta del antejardín y entonces lo vi.

Era Pablo Salamendi, «Igor», bastante más envejecido de como lo vi por última vez en el patio de armas de la Academia Rodión Malinovsky. Miró extrañado al repartidor y fue hasta la puerta ojeando en todas direcciones, chequeando los movimientos de la calle. Tal vez dijo que se trataba de un error, el motorista me tapaba la visión de su rostro y le indicaba la placa con el número de la casa. En ese momento apareció el otro hombre, más joven, rubio, fuerte, de aspecto eslavo, vestido con una camiseta que destacaba su musculatura, y se precipitó a la puerta con pasos enérgicos. Salamendi hizo un gesto pidiendo calma, en sus labios se dibujó nítidamente el *ne spor'te*, la orden de no discutir, pagó y los dos hombres entraron en la casa.

He preparado trampas extrañas en mi vida, pero nunca una tan burda, tan simple. Desde mi atalaya de observación vi que dos persianas se levantaban y desde las ventanas el ruso que ya descubrí y otro sujeto también de pinta eslava escudriñaban la calle con unos prismáticos. La discusión frente a las pizzas tuvo que ser muy apasionante: o se trataba de una maldita coincidencia, o acababan de perder la casa de seguridad.

Esperé a que bajaran las persianas nuevamente y salí a la calle. Ya en el auto tomé el teléfono que me entregó Slava y llamé al único número de su memoria.

—Belmonte, mi viejo amigo —saludó Kramer.

—Sé dónde están.

—Sabía que podía confiar en ti. En menos de dos días has dado con la aguja en el pajar. Nuestros viejos conocidos y ¿cuántos más?

—Vi a otros dos, rusos. Si yo fuera usted, o Slava, y nunca quiero serlo, actuaría rápido. Si esos tipos son inteligentes ahuecarán el ala.

—Entonces no debes perder de vista el nido hasta que llegue el séptimo de caballería. Dame la dirección y espera —ordenó Kramer, y colgó.

# 4
## Paralelo 55° Norte

El presidente de la Federación Rusa se puso de pie apenas vio al edecán abrir las puertas de su despacho. El primer ministro avanzó con paso decidido, con el andar elástico y los ademanes seguros de siempre, desde los tiempos todavía frescos en la memoria de muchos en que ejerció de máxima autoridad del KGB.

Aunque nunca lo mencionó, el presidente no dejaba de sentirse incómodo en su papel de sucesor del modernizador de Rusia, el responsable de que la enorme patria-continente fuera el país con más multimillonarios del planeta.

El primer ministro ocupó un sillón frente al escritorio, ordenó al edecán una taza de té inglés y miel para endulzarlo.

—Los años no pasan en vano, querido Dimitri Anatólievich. Hace una hora, en el gimnasio me derrotó un joven oficial de veinticinco años, por cierto un judoka de técnica admirable. Le sugiero empezar por los asuntos menores.

—¿Por cuál de ellos? Querido Vladimir Vladimirovich.

—Por el asunto Chile. Tengo una suerte de empatía personal por ese país. En los tiempos de la Unión Soviética no los entendimos, y pese a que el partido comunista chileno era de los mejor organizados del mundo y de probada fidelidad a la URSS, no les dimos el apoyo necesario. Nunca lo reconocimos oficialmente pero no terminaba de gustarnos Salvador Allende, su cercanía a la Yugoslavia de Tito, su amistad con el checoslovaco Alexander Dubček, su liderazgo en el Movimiento de Países No Alineados, en la Organización de Solidaridad con Asia, África y América Latina y otros foros bastante críticos con la política exterior de la URSS, todo eso generó una relación puramente formal entre los dos países. Allende era arrogante, pero su valor es innegable. Además, conocí a varios chilenos que pasaron por la academia del KGB especializándose en tareas de inteligencia. Me pregunto qué habrá sido de ellos.

Mientras el primer ministro bebía pausadamente su taza de té, el presidente le refirió unos hechos que, pese a no ir más allá de una anécdota curiosa, podrían crear un problema diplomático.

Una semana atrás el presidente de la Federación Rusa había recibido al embajador chileno, y luego de la recepción de credenciales y saludos de protocolo, el embajador le comentó la extrañeza y estupor del gobierno chileno, porque hasta el despacho de la presidenta había llegado una delegación de cosacos que, por sus bellos y llamativos trajes, la guardia de palacio confundió con una delegación de bailarines del Bolshói de visita en Chile. Lo inquietante fue que esos cosacos aseguraron hablar en nombre del gobierno ruso y, más que solicitado, habían exigido la inmediata liberación de un oficial del ejército chileno acusado de numerosos crímenes de lesa humanidad, que cumple varias condenas en una cárcel de la nación austral. La presidenta, ex prisionera ella y su madre del campo de concentración conocido como Villa Grimaldi, en el que el oficial mencionado destacó por su crueldad, rechazó sus exigencias indicándoles que en Chile el poder judicial es independiente, que el mencionado oficial fue juzgado con todas las garantías procesales de un Estado de derecho, condenado por jueces imparciales, y aún tenía otros juicios por afrontar, todos relacionados con violaciones de los derechos humanos, detenciones ilegales, torturas, asesinatos y desaparición de personas durante la dictadura de Augusto Pinochet. El embajador chileno no presentó ninguna queja formal y se limitó a manifestar su perplejidad ante esos hechos.

El presidente de la Federación Rusa se despidió del embajador garantizándole que el gobierno ruso nada tenía que ver con lo relatado. Finalmente le aseguró una investigación rápida y rigurosa de cuyos resultados sería oportunamente informado.

Mientras acompañaba al embajador hasta la puerta de su despacho, recordó el comentario que hizo durante una cena un ex oficial del ejército soviético dedicado ahora a los negocios. Algún día de 2005, el entonces presidente y ahora primer ministro Vladímir Vladímirovich Putin presentó ante la Duma una factura por los servicios prestados al Estado por los cosacos durante los últimos dos siglos, y el ex oficial comentó que le parecía una medida acaso justa, pero inconveniente, pues podría alentar pasiones secesionistas en algunos delirantes cosacos que pretendían fundar una república cosaca independiente, cuyo territorio iría desde el río Dniéster, atravesando las estepas, hasta el río Ural.

Justo antes del apretón de manos de la despedida, el embajador chileno le entregó un sobre y comentó:

—Excelencia, todo esto no puede ser más que una molesta anécdota.

En el sobre, un documento escrito en caracteres cirílicos ponía:

Glorioso Ejército del Don en el extranjero.
Aprobación para conceder la entrega de la medalla por la Fidelidad Lienz 1945-2005.

Se deja constancia de que el Mayor General Mijaíl Semionovich Krasnov (Miguel Krassnoff M.), en conformidad a lo señalado en la orden del Atamán N° 5 del veintinueve de mayo de 2005, es condecorado con la medalla de plata por la Fidelidad Lienz 1945-2005 por su permanente lealtad al apego y consecuencia en la mantención de los valores que distinguen a los Cosacos del Don, honrando con sus actos a este ejército y a Rusia.

Para constancia firman Grekov B., presidente del Consejo del Ejército del Don, Basiiev M., jefe del Estado Mayor, y Tislenkov I., ayudante.

Resuelto en Lienz, Austria, el 30 de mayo de 2005.

El primer ministro dejó la taza en el escritorio, luego observó sus finas manos de dedos alargados, y dirigió una mirada glacial al presidente.

—Dimitri Anatólievich, ¿recuerdas el nombre de ese ex oficial que criticó mi medida?

—Coronel Stanislav Sokolov. Durante la URSS fue instructor en la Academia Rodión Malinovsky de las Fuerzas Acorazadas Soviéticas.

—Slava. Un excelente oficial. ¿A qué se dedica ahora?

—A los seguros. Es el agente oficial de una aseguradora mundial, el Lloyd Hanseático. Controla todas las importaciones de frutas, granos, productos del mar, carnes y minerales que llegan a la Federación Rusa desde Latinoamérica.

—Un oligarca. Cítalo, Dimitri Anatólievich. Debo hablar con el coronel Sokolov.

—¿Es en verdad preocupante todo esto, Vladimir Vladimirovich?

—Cuando Caín mató a Abel empezó la política y a partir de ese momento nada carece de importancia. Conoces muy bien mi formación, querido Dimitri Anatólievich, y sabes que para mí la información tiene un valor absoluto. Por fortuna mantengo una estupenda red de informantes y por eso sé que en el museo militar de Podolsk, ciudad del óblast de Moscú, a menos de media hora de este despacho, unos nostálgicos exhiben un uniforme chileno de Mijaíl Semionovich Krasnov, al que llaman el Último Atamán. Esto sí puede ser una pura anécdota, pero en

Ucrania la primera ministra Yulia Volodimirivna Timoshenko empieza a valerse de los neonazis y los cosacos para alentar un sentimiento antirruso. Y, como muy bien sabemos, más temprano que tarde tendremos que cumplir con la necesidad estratégica de recuperar la península de Crimea. No queremos otra Chechenia en nuestras fronteras. Supongo que coincidimos en esto.

—Absolutamente, Vladimir Vladimirovich. Absolutamente.

# 5
## Paralelo 33 Sur

Estacioné el auto en la misma calle de la casa de los buscados y esperé la llegada de Kramer, Slava y tal vez de los dos matones rusos que conocí en el restaurante el día del primer encuentro. El corazón bombeaba con furia, algo no encajaba, todo había resultado demasiado fácil y la facilidad es el señuelo que atrae problemas mayores.

¿Qué perseguían Espinoza, Salamendi y los rusos? ¿Hablaría con ellos Slava y los disuadiría con un simple discurso? El asunto apestaba a facilidad excesiva. Me habían entregado diez mil euros, veinte billetes morados de quinientos, y conociendo el razonamiento metódico de Kramer, eso sólo podía significar que habían previsto muchas dificultades para dar con los hombres. Su misión en Chile, fuera la que fuese, nada tenía que ver con el simple intercambio comercial entre putas rusas y manzanas chilenas. O los Buenos Muchachos y yo habíamos sido muy eficientes, o algo no encajaba y escapaba a mi control. Pese al aire acondicionado del auto me sudaban las manos, las sequé frotándolas contra el pantalón y aferré la Beretta para paliar los efectos de la adrenalina.

Los gestos de sorpresa de unos paseantes dispararon la alerta y vi el todoterreno negro haciendo saltar la reja del antejardín de la casa. El vehículo enfiló a gran velocidad en mi dirección y pude ver a los dos ocupantes.

Salamendi conducía y junto a él Espinoza sostenía un arma en las manos. Un arma eficaz, posiblemente un subfusil Uzi. Al pasar junto a mí frenaron y nos miramos luego de más de treinta años.

—Bien jugado, Belmonte. Es un placer volver a verte, camarada —dijo Salamendi.

—Lo mismo digo, Igor. Conozco un boliche cerca de aquí y podemos beber unos vinos.

—Tenemos prisa, pero habrá tiempo. Y gracias por las pizzas —respondió Espinoza apuntándome con el arma.

Salamendi sonrió antes de alejarse a gran velocidad. Memoricé la matrícula, aunque eso no serviría de mucho, tampoco intenté seguirlos pues en ese momento una furgoneta de cristales polarizados se detuvo frente a la casa y vi a Slava con los dos rusos que ya conocía más otros cuatro, que, con las manos diestras bajo las americanas, se posicionaban a los costados de la casa.

—¿Cuántos iban en el jeep? —consultó Slava apenas llegué junto a él.

—Sus dos discípulos.

Además de la reja derribada la puerta de la casa estaba abierta. Uno de los dos chilenos salió por ella para abrir la cortina metálica del garaje y el otro había accedido al vehículo desde la casa. No era necesaria una gran agudeza mental para leer esas huellas.

Slava ordenó a dos de sus hombres entrar y fui con ellos. En el salón comedor había tres hombres despatarrados, uno era el que salió junto a Salamendi y todos lucían un agujero en medio de la frente. Los muros y muebles estaban salpicados de sangre, astillas de hueso y masa encefálica. Las pizzas seguían en sus cajas de cartón.

—Larguémonos —ordenó Slava.

Ignorando la orden di un rápido aunque detenido vistazo a los tres cuerpos y, al revisarles las manos buscando rastros de barniz en las yemas de los dedos, detalle básico si no se quiere dejar huellas dactilares, descubrí cicatrices idénticas en las manos derechas. El color rosa decía que se trataba de heridas recientes, eran la marca de algo que los identificaba, un signo de pertenencia, pero ¿a qué o a quién? Slava repitió la orden y uno de sus hombres me empujó.

Salimos. Los hombres de Slava se encargaron de dejar cerrada la puerta y de asegurar con una cadena y candado la reja derribada por los prófugos. El calor de Santiago se encargaría al día siguiente de enviar el mensaje de hedor que permitiría descubrir la masacre.

—En dos horas llame a Kramer —dijo Slava como única despedida.

Detuve el auto cerca de la plaza Ñuñoa y caminé hasta Las Lanzas. El viejo caserón amarillo seguía igual a como era en mis tiempos de estudiante, pero los que ocupaban la terraza eran diferentes a la muchachada de mi tiempo. No se veían *hippies* entre ellos, no había libros de Sartre o Frantz Fanon sobre las mesas y no se respiraba el aire conspirativo de entonces. Me decidí por una de las mesas del fondo e indiqué que antes de comer quería un Jack Daniel's doble con hielo.

¿Qué había ocurrido en la casa? La llegada del repartidor de pizzas muy probablemente desencadenó una fuerte discusión sobre la misión que debían cumplir en Chile y el significado de perder la base, la casa de seguridad, pero ¿por qué matarlos? ¿Los rusos fueron presa del pánico? Por el aspecto físico de los tres muertos, más jóvenes que Espinoza y Salamendi, se notaban tipos fogueados y no de los que ceden a la primera dificultad.

Esos cinco hombres ¿estaban unidos solamente por la misión o existía entre ellos la elemental fraternidad de los que se van a jugar el pellejo por algo? Alguna vez, en Nicaragua, oí a una guerrillera decir que la prueba moral más fuerte del combatiente era tener que matar a un compañero, mas no por una falta o cobardía, sino para preservar su integridad, hacerlo por amor. No le creí hasta que un mes más tarde, durante la ofensiva guerrillera sobre Masaya, mi columna cayó en una emboscada de la guardia nacional de Somoza y un obús le arrancó de cuajo una pierna a un compañero. Esquivando las balas y los obuses que levantaban toneladas de tierra intentamos socorrerlo, le hicimos un torniquete en el muslo para evitar que se desangrara mientras los oficiales de la guerrilla repetían las órdenes de repliegue, de salir de ahí o moríamos todos. En medio de la balacera Julio García, un guerrillero chileno al que llamábamos «el Siete» porque le faltaban tres dedos de una mano, y yo tratábamos de arrastrarlo hasta un maizal y entonces nos dijo la frase más atroz, la petición más terrible: «Un tiro, compas. Soy oficial y sé lo que me espera. Un tiro, compas, y váyanse». Desde nuestra posición ya podíamos ver los cascos de los guardias nacionales y casi no había tiempo para salir de ahí. Además, sabíamos lo que hacían las tropas somocistas con los prisioneros, especialmente si eran mandos de la guerrilla. Los mantenían vivos para desollarlos y vertían sal y ácidos sobre los cuerpos sin piel para que sus gritos de dolor se escucharan de muy lejos. «Un tiro, compas», repitió. Lo abrazamos, el cañón de una Colt 45 buscó su corazón, y cuando varias horas más tarde estuvimos a salvo con el grueso de la columna guerrillera, nadie se atrevió a interrumpir nuestro llanto.

No. Espinoza y Salamendi no eran como el Siete y yo. Eliminaron a los tres rusos a sangre fría, por sorpresa. Tal vez ya estaban condenados de antemano y tenían que morir una vez cumplida o fracasada la misión que los llevó a Chile. El asunto apestaba.

Pedí un segundo Jack Daniel's y llamé a Kramer.

—Belmonte, tu gran intuición te habrá dicho que las cosas se han complicado.

—Métase el sarcasmo en el culo. Cumplí con mi parte, los encontré y ustedes llegaron tarde.

—No. Fuiste demasiado eficiente. Reconozco que te subestimé, pero sigues siendo el viejo Belmonte. Debes volver a encontrarlos.

—Así no, Kramer. No en el aire. Quiero saberlo todo. ¿A qué vinieron? ¿Qué misión traen? ¿Quién los manda? O habla claro o se va a la mierda.

El viejo suizo dejó escapar una risilla, tosió, y pude imaginarlo estremeciéndose en su silla de ruedas.

—Supongo que tienes derecho a saberlo. Mañana tendremos una larga charla.

Salí de Las Lanzas a la templada noche del verano santiaguino. En la plaza Ñuñoa se congregaban jóvenes alegres, despreocupados y me gustó verlos así, seguidos nada más que por algún perro vagabundo y no por las sombras del pasado.

# 6
## Paralelo 30° Sur

El cosaco sudaba, el pijama se le pegaba al cuerpo como una segunda piel viscosa y ardiente. Por más que lo intentaba no lograba quitarse de encima los ojos de la muchacha. Unos ojos de pupilas intensamente azules que lo paralizaban.

Recordó sin saber si la memoria lo lleva a minutos, horas, días, años antes de enfrentarse a esa mirada y se vio vistiendo el uniforme de combate, manchas verdes para mimetizarse, al cinto una pistola y el curvo sable de cosaco golpeándole las piernas.

Quitó la venda que cubría los ojos de la muchacha. Su larga cabellera rubia se pegaba a la piel sudorosa. Estaba desnuda y la miró detenidamente, revisó los hematomas del vientre, los muslos, las nalgas azotadas hasta dejarlas en carne viva, los pezones quemados por las descargas eléctricas, la sangre seca formando costrones en el vello púbico. La abrazó. Los senos pequeños de la muchacha rozaron la tela áspera del uniforme, sintió el olor a mujer joven y le susurró al oído.

—Tienes apenas dieciocho años y no es justo que pases por esto. ¿Qué dirían tus padres si supieran que eres la puta de mis hombres? ¿Cuántos te usaron anoche? ¿Cuatro, cinco? Piensa en tus padres, esa respetable familia judía, en lo que deben estar haciendo a esta hora en esa acogedora casa de Peñalolén, por cierto muy cerca de aquí aunque algo más elevada en las faldas de la cordillera. Estás sola, niña, y me perteneces, eres más mía que de tus padres, dios o tu rabino. Mía. Todo esto puede terminar ahora mismo, dame un nombre, uno solo, y ordeno que te suelten las manos, te duchas, te vistes, regresas a casa y mañana o pasado, cuando vayas nuevamente a clase, a tus compañeros de la Universidad Católica les contarás que un cosaco, porque eso es lo que soy, más que un oficial chileno, un caballero cosaco te salvó la vida. Dame un nombre. Uno solo.

El cosaco soltó a la prisionera, con una mano enguantada la tomó del mentón y alzó su cabeza. En sus ojos de pupilas azules no vio más que distancia, soledad y silencio.

El cosaco hizo un gesto al soldado de pie junto a la puerta, este la abrió, y la gruesa figura de la teniente de carabineros Ingrid Olderock, envuelta en el vaho de alcohol acostumbrado, se precipitó sobre la prisionera.

El golpe en el vientre la derribó de costado y no alcanzó a encoger la cabeza para evitar la bota de la mujer estrellándose en su nuca. Los muros de madera de la torre de interrogatorios ahogaron el débil ruido de huesos partiéndose y la muchacha se sacudió en un par de espasmos antes de quedar inmóvil.

Una mano abierta del cosaco se estrelló contra la cara de la teniente Olderock.

—La mataste, hija de puta. Le partiste el cuello.

El cuerpo de la prisionera quedó tirado sobre el suelo, con las manos atadas a la espalda, desnuda, y el cosaco ordenó al soldado que le cerrara los ojos. El soldado vaciló, tragó saliva y finalmente se negó a hacerlo con movimientos de cabeza.

—Maricón —escupió el cosaco y se inclinó sobre la prisionera. Entonces vio esos ojos de pupilas azules mirándolo desde un lugar inaccesible, lejano, tal vez la patria de los ángeles vengadores, y supo que esa mirada azul lo perseguiría siempre.

Despertó y dio manotazos hasta que encontró el interruptor de la lámpara. Era una pesadilla recurrente que el cosaco achacó al calor, aunque el sudor tenía como única fuente el miedo.

No se consideraba un hombre fácilmente impresionable, pero dos pesadillas lo sacaban del sueño temblando, entonces se sentía solo, abandonado a merced de enemigos a los que se derrotaba matándolos.

La otra pesadilla había comenzado tres años atrás al enterarse de la muerte de Osvaldo Romo, un civil, un delincuente de poca monta que, tras infiltrarse entre los adeptos al gobierno de Allende y la izquierda revolucionaria, después del golpe de Estado se convirtió en un eficaz colaborador de la represión, de la Dirección de Inteligencia Nacional, en la que destacó como delator y torturador. Romo había muerto de cáncer en prisión y nadie se hizo cargo de su cuerpo hasta que empezó a pudrirse y las autoridades sanitarias decidieron arrojarlo a la fosa común del cementerio general. Por la prensa se enteró de las negativas de los sepultureros a llevarlo hasta la fosa, hasta que entre ellos hicieron un sorteo y el perdedor se encargó de tirar de un carromato con el miserable ataúd de Romo, del «guatón» Romo.

Fue su hombre de confianza, su brazo derecho, al que premiaba por las delaciones permitiéndole violar prisioneras durante los interrogatorios, para solaz de sí mismo y de los soldados que se burlaban de su masculinidad minúscula y de sus gemidos de eyaculador precoz.

Lo necesitó y despreció al mismo tiempo, pero fue gracias a una delación de Romo como logró su mayor victoria militar y la más alta condecoración al valor colgada en su pecho por el mismo Pinochet.

A fines de 1973 sus hombres consiguieron capturar, torturar y matar a Bautista van Schouwen, un médico y dirigente del Movimiento de Izquierda Revolucionaria, MIR. Van Schouwen no les dijo una sola palabra durante los interrogatorios y, para descabezar totalmente a esa organización, debían llegar hasta el máximo dirigente, hasta el cerebro. Pinochet y el general Manuel Contreras se manifestaban furiosos porque no podían dar con Miguel Enríquez. El dirigente del MIR se movía en la clandestinidad, organizaba la resistencia, escribía documentos políticos que se reproducían en los medios de prensa del extranjero y era el enemigo más odiado.

Cientos de agentes de la DINA rastreaban el país pero no lograban dar con una sola huella que los llevara hasta Miguel Enríquez, hasta que una tarde de octubre de 1974 Romo se le acercó y, con los ademanes sumisos de siempre, pidió permiso para hablar.

Le informó de que sus conocidos en la comuna de San Miguel le habían hablado de una casa extraña en la calle Santa Fe número 725. La casa estaba habitada por dos parejas jóvenes presumiblemente de clase media alta y dos niñas. Los adultos no se comunicaban con los vecinos más de lo necesario, pero un almacenero le contó que compraban comida para varios días y siempre elegían productos de calidad. Las compras siempre las hacían las mujeres, a las que el almacenero no dudó en definir como cordiales aunque reservadas y bellas. Los hombres casi nunca salían de la casa, detalle extraño pues se trataba de hombres jóvenes.

Al día siguiente, 5 de octubre, el cosaco y un destacamento de soldados se dirigieron a la calle Santa Fe. Iban fuertemente armados, apoyados por una tanqueta artillada y por un helicóptero de combate. La orden del cosaco fue perentoria: no hacer prisioneros.

Apenas se acercaron a la casa recibieron disparos de rechazo. Miguel Enríquez, Carmen Castillo, Humberto Sotomayor y José Bordas ofrecieron una dura resistencia. Sotomayor y Bordas consiguieron eludir el cerco saltando hacia las casas de la parte trasera. Carmen Castillo, embarazada de seis meses, cayó herida y Miguel Enríquez se parapetó dispuesto a com-

113

batir hasta el final. Diez tiros terminaron con la vida del dirigente revolucionario. Recién cuando cesaron los disparos el cosaco se atrevió a dar la orden de entrar a la casa, Carmen Castillo aún respiraba y la intervención de un valeroso vecino evitó que la remataran.

Al terminar la operación, Romo se le acercó con su mirada de perro triste en busca de su recompensa.

—Me debe una grande, mi brigadier. Lo convertí en héroe.

—A ti no te debo nada, pedazo de mierda —contestó el cosaco.

—No me humille, mi brigadier. No le conviene —replicó Romo.

Su primera intención fue cruzarle la cara de un golpe, pero algo lo detuvo, un temor inexplicable a ese sujeto de cuerpo fofo, de notoria obesidad mórbida y recordó, sin estar seguro de haberlo escuchado o leído, que en África detestan a las hienas y sin embargo nadie se atreve a golpearlas. Hay algo en la mirada torva de las hienas que paraliza y aterra.

En sus pesadillas, se veía a sí mismo en un ataúd de madera barata, le faltaba el aire, trataba de patear o levantar la tapa, pero el espacio mínimo apenas le permitía moverse. Oía voces apurando el traslado hasta la fosa común pues apestaba, y entonces se despertaba sudando y gritando en ruso: ¡soy un cosaco, a mí se me sepulta con honores, soy Krasnov, el último atamán!

La intensa luz del amanecer reptando desde la cordillera de los Andes lo encontró sentado frente al escritorio. Intentaba escribir, pero su mirada estaba fija en una fotografía que mostraba a dos hombres de semblantes serios. Uno era el general Helmuth von Pannwitz, un prusiano que ejerció el mando más alto de XV Cuerpo de Caballería Cosaca en Croacia e Italia y pese a no ser ruso se le consideró atamán. El otro era Piotr Nikoláievich Krasnov, su abuelo. En la foto faltaba sin embargo un tercer hombre, el atamán Andréi Shkuró, para completar la trinidad del mando cosaco al final de la segunda guerra mundial.

«¿Cómo sería esa mañana?», escribió el cosaco y dejó caer el bolígrafo. Se había propuesto escribir una historia épica acerca del fin de su abuelo, pero su limitada imaginación de militar le impedía suponer el color del cielo de Oberdrauburg, en Austria, ni el espesor de la alambrada de espinos tras la que esperaban ser subidos a los camiones que los conducirían de regreso a Rusia, ni oír la voz angustiada de Helmuth von Pannwitz gritando su condición de oficial alemán que nada tenía en común con esos bárbaros cosacos.

Lo que sí lograba imaginar eran los cuerpos de su abuelo Piotr Nikoláievich Krasnov, de su padre Semion Krasnov, de Andréi Shkuró y de Von Pannwitz meciéndose en las horcas tras ser colgados el 16 de enero de 1947 bajo el cielo gris de Moscú.

Entonces el cosaco sudaba con la certeza de que esa pesadilla no tenía despertar.

# 7
## Paralelo 55° Norte

El viejo tenía la certeza de estar respirando el último aire de su vida, un aire espeso, denso, que parecía emanar de la porosidad del muro de ladrillos. Palpó su cuerpo y comprobó que no tenía roto ningún hueso pese a haber sido arrojado como un bulto a la celda. Sin embargo, no sintió ningún alivio pues sabía que, si estaba ahí, tirado en el suelo de cemento y bajo la potente luz de un foco enceguecedor, lo peor estaba por llegar.

Las cosas sucedieron con celeridad pasmosa: El helicóptero bajó a pocos metros de la *stanitsa* levantando una polvareda blanca de nieve, los cuatro enmascarados corrieron envueltos en esa nube, derribaron el portón de la casa, obligaron a su mujer, hijo y nuera a tenderse boca abajo con las manos en la nuca, y a él lo sacaron entre dos, sin palabras, sin darle tiempo a ponerse algo de abrigo ni a ninguna de sus preguntas sobre qué pasaba y qué querían. Al sentarlo entre dos enmascarados a bordo del helicóptero le cubrieron la cabeza con una bolsa negra y entonces sintió cómo la nave se elevaba, azotada por los golpes de viento.

Al inicio del vuelo el viejo sólo atinó a rezar bajo la capucha, hasta que el poco aire fétido que entraba y salía de sus pulmones lo aletargó primero, para hacerlo caer luego en un sueño profundo del que salió sin saber cuánto había durado el vuelo al recibir un remezón y, tras una rápida caminata, lo arrojaron a la celda, liberado de la asfixiante capucha.

El ruido de la puerta al abrirse lo sacó de sus tribulaciones, y pese a la intensa luz del foco, alzó la cabeza para ver al hombre que le ofrecía una jarra de té caliente.

—Beba esto —dijo el hombre de complexión fuerte y que vestía un elegante traje gris—. Soy el coronel Stanislav Sokolov. ¿Sabe leer y escribir?

El viejo asintió dando sorbos a la jarra de té.

—Muy bien, así ahorraremos tiempo. Le dejo un bloc y lápiz. Tiene una hora para una confesión completa —indicó el coronel, y salió de la celda.

El viejo conocía la pasión rusa por las confesiones exhaustivas. Se sentó en el suelo y empezó a escribir.

«Mi nombre verdadero es Alexéi Alexéievich Kaledín, nieto del atamán de los cosacos del Don Alexéi Kaledín. Vivo en Cholokovsky, desde 1946. Ese año fui transportado desde Oberdrauburg, Austria, junto a mis padres Konstantin Alexéievich Kaledín y mi madre Irina Denikin. Yo tenía diez años y amaba Kosakia, la única patria que hemos tenido los cosacos fundada entre los montes de Carnia, en la Italia septentrional, por el atamán Piotr Krasnov, a quien nuestro señor tenga en su reino. Mi padre fue deportado a Siberia y mi madre se casó tres años más tarde con Serguéi Budianov, y por esa razón en mis documentos figuro con el nombre de Alexéi Sergueievich Budianov.

»Confieso por libre voluntad que he consagrado mi vida al estudio de la nación cosaca y a enseñarla a las jóvenes generaciones. Les enseño la historia de los cosacos defensores del Zar y la Madre Rusia frente a los tártaros. Les enseño que tras la derrota del Ejército Blanco el gran atamán de los cosacos del Don, Piotr Krasnov, recorrió Francia, Suiza y Alemania hasta organizar un ejército de cincuenta mil soldados al servicio de Hitler y con el fin de derrotar a los ejércitos de Stalin. Les enseño que el ejército cosaco se lanzó al combate animado por la promesa del Tercer Reich de otorgarnos tierras en Ucrania para la creación de una república cosaca. Les enseño que la guerra fue cruel para con nosotros y sufrimos una derrota tras otra junto al ejército alemán y la retirada nos fue empujando desde Bielorrusia a Croacia y el norte de Italia, siempre confiados en la promesa del Tercer Reich de entregarnos una tierra en sus territorios anexionados. Les enseño que a fines de 1944 la única tierra que podían darnos estaba entre las montañas de Carnia y hasta ese lugar llegaron los regimientos y familias de los cosacos del atamán Krasnov. Les enseño que, cuando los Aliados y los partisanos italianos de la Brigada Garibaldi ocuparon Trieste, tuvimos que abandonar Kosakia y refugiarnos tras la frontera austriaca para reorganizarnos, recuperar el territorio y los tesoros que dejamos ocultos. Les enseño que en Lienz vimos la desbandada, la rendición de los destacamentos de las SS y supimos que el sueño de la patria cosaca se nos iba una vez más. Les enseño que el atamán Krasnov nos rindió a los ingleses bajo la condición de no ser entregados a los soviéticos. Les enseño que los ingleses no cumplieron, cedieron a las presiones de Stalin y nos concentraron en Oberdrauburg antes de subirnos a los camiones que nos transportaron a Rusia. Les enseño que muchos cosacos cargaron de piedras y trozos de metal sus caballos y junto a sus mujeres e hijos se arrojaron a las aguas del Drava en un suicidio colectivo. Les enseño que el sueño de la patria cosaca no debe morir y confiamos en volver a cabalgar bajo las órdenes del último atamán. Confieso que todo eso les enseño.»

El coronel Sokolov leyó los folios escritos con letra insegura, y enseguida miró al viejo moviendo la cabeza.

—¿Y tú crees que toda esta mierda le importa a alguien, vejestorio imbécil?

A una orden del coronel Sokolov dos encapuchados entraron a la celda. Llevaban una silla de metal y, tras desnudarlo, lo sentaron con las manos atadas al respaldo. Entonces el coronel puso frente a sus ojos una fotografía que mostraba a los tres jóvenes cosacos juramentados para la gran misión y a otros dos hombres de los que el viejo nada sabía, salvo que eran mercenarios sudamericanos.

—Quiero los nombres de estos tres y saber a qué van a Chile.

El coronel salió de la celda, cerró la puerta y pese al grosor de la madera escuchó los gritos del viejo. Hacía bastante frío en la gran nave industrial repleta de cacao, café y azúcar cubana. Miró la hora en su Rolex de oro y decidió dar quince minutos a sus hombres para obtener la información deseada.

# 8
## Paralelo 33° Sur

Kramer me citó al mediodía en una oficina de Vitacura, el barrio rico de Santiago. Esa mañana el calor empezó a pegar temprano, de manera que salté de la cama antes de las ocho, me preparé un café y me senté en el balcón a revisar los pasos a dar.

El departamento que me había conseguido Eladio tenía una vista espectacular de la cordillera de los Andes y por sobre las moles grises se podían ver dos glaciares reflejando el sol naciente.

No podía olvidar los cuerpos caídos de los tres eslavos ni la sonrisa de Salamendi, esa fugaz mueca en ningún caso de sorpresa, sino más bien de cierto alivio, al comprobar que era yo el que iba tras sus pasos. El asunto apestaba, pero no lograba descubrir la naturaleza del hedor.

A las nueve en punto recibí la llamada de Ciro. El día anterior informé a los Buenos Muchachos de lo ocurrido y acordamos que ellos harían una denuncia anónima a la policía, indicando haber escuchado disparos en una casa.

—Hay noticias —empezó diciendo Ciro—. Los encontraron, y por un conocido de la Policía de Investigaciones, la PDI, hemos averiguado que eran ucranianos, o al menos entraron al país con pasaportes de Ucrania. Llegaron en un vuelo procedente de Moscú vía Ámsterdam y São Paulo hace cinco días, pero de los otros dos, Espinoza y Salamendi, no hay registro de entrada. Eso significa que entraron al país por tierra.

—O con identidades falsas —agregué.

—No. También mandamos las fotos de esos dos al amigo de la PDI. En el aeropuerto hay cámaras de videovigilancia que registran los rostros de todos los que pasan por los controles de entradas y salidas. La PDI tiene un programa de búsqueda rápida y sus rostros no aparecen en ninguna de las grabaciones de los llegados por aire a Chile las últimas dos semanas. También averiguamos que la matrícula del todoterreno corresponde a un vehículo robado hace dos días a una concesionaria de Toyota. Un robo limpio: el vehículo se exhibía en un lugar abierto de la avenida Apoquindo, un solar apenas cercado por unos macizos de ligustrinas. La videocámara del concesionario muestra a dos tipos con pasamontañas que actuaron rápido, forzaron una puerta del todoterreno, encendieron el motor y en menos de un minuto salieron a toda velocidad atravesando el seto de ligustrinas. Fueron ellos, Belmonte. Saben moverse.

—Ustedes tampoco lo hacen mal —agregué.

—No es difícil hurgar en esta ciudad llena de cámaras y compañías de seguridad. Aquí hasta las ratas pueden montar sistemas de vigilancia para saber por dónde andan los gatos. ¿Te acuerdas de Lenin Guardia?

Hay nombres que dan asco y ese es uno de ellos. Lenin Guardia fue militante socialista, fervoroso revolucionario que más tarde pasó al MIR buscando más olor a pólvora, y cuando regresó del exilio fue uno de los tantos que se metamorfosearon, salieron de la crisálida revolucionaria y se convirtieron en ardientes defensores de la nueva democracia posdictadura y su modelo económico. Fue uno de los hombres de la Oficina, la cloaca encargada del trabajo sucio para eliminar disidencias. Junto a su protector de siempre, el general Herman Brady, esbirro de Pinochet, creó una de las tantas agencias de seguridad que llenaron Santiago de cámaras y matones con pinganillos colgando de las orejas. Tipos como él ensucian la sombra de lo que fuimos.

—¿Algo más, Ciro?

—La casa fue alquilada, como pensamos, *online* hace dos semanas, desde Rostov, y a un día de la llegada de los difuntos un tipo pagó al contado el mes de alquiler y dejó también en dinero la garantía. Exigió la devolución del bono de reserva en el que figuraba una tarjeta de crédito y la encargada de la inmobiliaria no reconoce ni a Espinoza ni a Salamendi como la persona que hizo el pago y recibió las llaves. Según la PDI, se trata de un hombre muy mayor, un anciano parco de palabras, pero que sin embargo insistió en que no precisaba nada más, ni sábanas ni toallas, pues su familia llevaría todo lo necesario. Un sueño de arrendatario.

—Es decir que tienen cobertura en Chile.

—En todo caso ese tercer hombre está quemado y la PDI lo busca como posible asesino de los tres ucranianos. Apenas sepamos más te informamos.

Me despedí de Ciro pensando en sus últimas palabras. Los tres ucranianos iban a morir, Espinoza y Salamendi lo tenían planeado de antemano y posiblemente yo aceleré el desenlace. Tal vez pensaban hacerlo de una manera discreta y al quemar al que los había ayudado se quedaban sin cobertura, sin apoyo para cumplir con la misión que los trajo a Chile. El asunto apestaba cada vez más.

Metí la Beretta en un bolsillo, el cargador de recambio en otro y salí a la calle. Enero se despedía con un calor asfixiante, costaba meter el aire ardiente en los pulmones.

Crucé el lujoso umbral del edificio de cristal y acero, y de inmediato se me acercaron los dos rusos que conocí el día del primer encuentro con Kramer. Con un gesto me indicaron que los siguiera hasta uno de los ascensores. Esta vez no hubo chequeo y quise agradecerles esa prueba de confianza.

—El golpe del otro día no fue nada personal.

—Te lo devolveré, y tampoco será nada personal —dijo en un español de fuerte acento ruso.

Kramer ocupaba su silla de ruedas y Slava un sillón Le Corbusier. Había otro libre y una mesa de centro con una jarra de café, tazas, vasos y una botella de vodka Stolichnaya encerrada en un bloque de hielo.

—Belmonte, mi viejo amigo. Veo que el don alemán de la puntualidad sigue siendo una de tus virtudes —saludó Kramer.

—Tres muertos, Kramer. ¿Qué planean hacer Espinoza y Salamendi? ¿Quiénes eran esos tres fiambres?

—Coronel, usted puede responder a esas preguntas —indicó Kramer dirigiéndose al ruso.

Slava sirvió dos vasos de vodka, me alargó uno, yo me encendí un cigarrillo y él hizo lo mismo. Kramer advirtió que estábamos en un edificio inteligente y el humo activaría los aspersores antiincendios. Slava gritó entonces a uno de sus hombres y este se precipitó al teléfono para pedir que desconectaran el sistema.

—Esos tres desgraciados eran escoria, veteranos de la guerra de Chechenia, mercenarios folclóricos de una causa absurda, como todas las causas del siglo xxi. La única y más legítima motivación para vivir es la riqueza, todo lo demás es absurdo.

—Eso también es folclore, Slava. Puede ser un párrafo de Ibsen, de *Un enemigo del pueblo*. No responde a mis preguntas.

—¿Qué sabe de los cosacos, Belmonte? —preguntó Slava, y despachó de un trago su vaso de vodka.

—Más folclore. En Moscú leí un libro prohibido, *Caballería Roja*, de Isaak Bábel, y no los dejaba bien parados. También los vi en el circo. ¿Vamos al grano, coronel?

—Rusia ha cambiado, eso usted lo sabe o lo supone, pero no imagina cuánto. Nada de lo que conoció existe, y entre las muchas medidas que se han tomado para borrar el pasado soviético se pueden indicar ciertas reparaciones. Eso atañe a los cosacos, se ha limpiado su historial de contrarrevolucionarios al servicio de la Rusia Blanca en los inicios del bolchevismo, y su alianza con los nazis durante la segunda guerra mundial dejó de ser vista como un acto de traición. Ahora los consideramos un esfuerzo que ayudó a liberarnos de la tiranía comunista.

—Sigue hablando como un puerco *apparatchnik*, Slava. Vaya de una maldita vez al grano.

—Esos cinco hombres tenían una misión que, gracias a los servicios de inteligencia, conocimos a tiempo. Los tres muertos eran cosacos, al servicio de una organización de afiebrados que sueñan con la creación de una nación cosaca, asunto que al gobierno de la Federación Rusa no molesta, siempre y cuando permanezca en el marco del folclore. Que se dediquen a sus caballos, a sus bailes, a sus balalaicas, pero un imponderable escapó al control que sobre ellos se tiene y decidieron hacer algo muy molesto para las relaciones comerciales entre Chile y la Federación Rusa. Por fortuna seguimos manteniendo las viejas amistades, y desde las altas esferas me encargaron investigar el asunto. Se trata de gente primitiva pero decidida. Sin embargo, bastó con apremiar al director espiritual del grupo para enterarnos de sus planes.

También yo despaché el vaso de Stolichnaya de

un trago. Había olvidado la capacidad rusa para la dramatización discursiva, ese llenar el tiempo de palabras huecas antes que el tiempo nos cubra de mierda tan caro a los dirigentes soviéticos. Del sermón de Slava lo único deducible era que habían apretado a alguien, torturado en algún oscuro sótano o despacho de burócrata, y ese infeliz delató a los cinco hombres y quién sabe a cuántos más.

—Director espiritual, comisario político, da lo mismo. Los entregó y sólo me falta que usted invente un eufemismo para saber de una condenada vez qué iban a hacer en Chile y por qué están muertos. Siga, Slava. Usted es mejor que Chéjov.

—Este hombre me gusta, Kramer. Es arrogante y cínico. Si lo hubiera conocido mejor en los viejos tiempos ahora integraría mi círculo de confianza. Bebamos por esa ocasión perdida —dijo Slava y sirvió nuevamente los vasos.

—El eufemismo, Belmonte, dice que sus antiguos camaradas Espinoza y Salamendi son hombres prácticos. No me costó dar con ellos un par de días antes de que salieran de Rusia y convencerlos de un cambio de planes. Debían eliminar a los tres cosacos de manera discreta y deshacerse de los cuerpos. Nadie se interesaría en buscarlos en un país remoto y eso nos habría quitado definitivamente el problema de encima. Naturalmente no viajaban solos, los acompañaba una suerte de sombra del servicio secreto encargado de supervisar que todo se ajustara a los planes acordados. Y aquí interviene usted, Belmonte, porque ese agente del servicio secreto apareció muerto, estrangulado en un retrete del aeropuerto de São Paulo, y el viaje cambió. Los tres cosacos continuaron vuelo a Santiago, pero sus dos antiguos camaradas desaparecieron, hasta que dio con ellos ayer.

—Maldita sea, Slava. La misión. Cuál era o es la misión.

Kramer me hizo un gesto pidiendo que lo acompañara hasta los ventanales que daban a la cordillera.

—Soy suizo, Belmonte, y mi elocuencia es limitada. La misión se llama Miguel Krassnoff.

Oír ese nombre me llevó a un veloz viaje en el tiempo, en un desplazamiento vertiginoso y a la velocidad del odio, superior a la velocidad de la luz. En ese viaje vi a Verónica cuando la sacaban de nuestra casa con la vista vendada y las manos atadas a la espalda. Apenas le dejaron tiempo para vestir unos vaqueros y una blusa. Yo no estaba con ella y tal vez seguía viva por eso, pues habríamos agotado los dos cargadores de la «Catalina», una pistola Colt calibre 45 de empuñadura nacarada, y las dos últimas balas habrían sido para nosotros mientras nos besábamos, primero ella y luego yo. La sacaron a golpes y empujones. Romo, el asqueroso perro de caza, tiraba de su larga cabellera negra y puso sus botas encima cuando la echaron boca abajo en el auto sin matrículas que se alejó veloz por las calles del viejo barrio, entre las miradas de vecinos aterrados que se juraban a sí mismos no haber visto nada. Dos días más tarde recibí la noticia más cruel, ese «cayó tu compañera» que me hizo violar todas las normas de la clandestinidad y empecé a recorrer las calles de Santiago buscando una señal, un pequeño rastro, su olor, un destello de su voz, una pequeña luz dejada por su mirada, aferrado a la pistola y con el vehemente deseo de matar a sus captores. La perdí. Pasaron los días, la resistencia decaía pese a las acciones de los que todavía estaban dispuestos a jugarse la vida. Salí de Chile, hice otra guerra y cada bala que solté en la selva nicaragüense fue pensando en ella. Así pasaron los años y las derrotas hasta que una carta recibida en Hamburgo me la devolvió. Verónica se enfrentó al cosaco, al capitán Miguel, el único que torturaba a cara descubierta en Villa Grimaldi. El cosaco le enseñaba una fotografía que nos mostraba a los dos en un parque de Santiago y le pedía mi nombre. Verónica callaba. Su cuerpo saltaba desnudo en la parrilla, el camastro metálico sobre el que aplicaban los electrodos. Verónica callaba. Krassnoff, el cosaco, la asía del pelo enmarañado y le prometía la libertad a cambio de la dirección de mi escondite. Verónica la conocía y callaba. Se estremecía de dolor en cada sesión de tortura y callaba. Su silencio era la mayor demostración de amor hacia mí y los compañeros. Verónica decidió olvidar el mecanismo que lleva las palabras desde el sentimiento a la boca, y con todas sus fuerzas de combatiente alejó su cuerpo del reino del cosaco.

Eso fue lo que arrojaron en un basural de Santiago. Un cuerpo entre otros cuerpos sin vida, pero Verónica todavía conservaba la tenue llamita que ilumina el ser, como un diminuto faro en la noche más densa y oscura. Así la encontró la noble doña Anita y la cuidó para mí.

Al recuperarla, luego del primer trabajo que hice para Kramer, juré que mataría al cosaco, pero la vida es una suma de pequeñas victorias aparentemente intrascendentes y una de ellas fue tenerla a mi lado y esperar juntos el momento en que, a salvo, ella y yo, podría renunciar a su silencio responsable y volver a cantar con su voz de siempre los nombres de las cosas que edifican los días.

Sabía que Krassnoff, el cosaco, cumplía varias condenas en una prisión, le caerían muchas más y se pudriría entre rejas. Para mí ya estaba muerto.

—¿Krassnoff? —atiné a balbucear.

—Krasnov —corrigió Slava desde el sillón, como si el leve cambio en la identidad del torturador tuviera alguna importancia.

Acepté el vaso de vodka que me alargaba y esperé el resto del discurso.

—Esos tres cosacos muertos eran comandos y junto a sus antiguos camaradas debían liberar a Miguel Krasnov. Tenían muy bien estudiadas las características del Centro de Detención Cordillera, hoy todo es posible gracias a internet y los satélites de comunicación. Además, contaban con la colaboración de una red de nostálgicos muy inspirados en la conexión Odessa que les proporcionaría el armamento y la ayuda para salir del país hacia Argentina. De una parte, el daño a las relaciones comerciales habría sido enorme, asunto que me atañe personalmente, y de otra, al gobierno ruso no le significaría una buena propaganda tener en su suelo a un criminal elevado al rango de gran atamán de los cosacos o director del Bolshói. Toda la operación la desbaratamos desde Moscú y confiamos en que sus ex camaradas se ceñirían al trato, pero el suceso de São Paulo nos sorprendió y el señor Kramer dijo conocer al hombre indicado para dar con ellos.

—Me decepciona, Kramer. O esa silla de ruedas piensa mejor que usted, o los años le están pasando factura. La policía chilena o sus amigos de la Oficina podían haber parado a esos tipos si se trataba de evitar un conflicto entre Rusia y Chile. ¿Por qué me metió en este lío?

El viejo suizo rio socarronamente desde su silla de ruedas y se miró las pálidas manos antes de responder.

—Como ha dicho el coronel, todo estaba bajo control hasta el incidente de São Paulo. Ahora no sabemos qué traman Espinoza y Salamendi, por ese motivo recurrí a tus servicios. Tal vez quieran negociar su silencio, pues disponen de información comprometedora. Debes encontrarlos una vez más.

—¿Para disuadirlos, Slava? ¿Por eso trajo a sus matones?

—Eso ya no es asunto suyo —concluyó Slava.

—Kramer, esos dos sabían que era yo el que iba tras ellos.

—Eso es paranoia, Belmonte. Un mal muy extendido entre los viejos guerrilleros.

# 9
## Paralelo 37° Sur

Espinoza y Salamendi se registraron como turistas argentinos en la recepción del hotel-camping Salto del Laja y a continuación se dirigieron a la cabaña asignada. Pese al bajo caudal del río Laja la catarata no dejaba de verse imponente, y otros amantes de la naturaleza se fotografiaban teniendo como fondo las cortinas de agua precipitándose al abismo rocoso.

Tiraron sus bártulos encima de las camas y salieron al balcón de la cabaña. A la sombra de unos centenarios álamos, Salamendi abrió una botella de pisco, sirvió dos vasos, bebieron y fumaron en silencio, hasta que Espinoza rompió el mutismo.

—Brindemos por algo, para no perder las buenas costumbres.

—Ave, César, *morituri te salutant* —respondió Salamendi.

El día anterior se habían deshecho de los tres cosacos y más tarde abandonaron el todoterreno en una calle de Santiago. Todo aconteció de manera rápida, tan veloz y precipitada como la llegada de Espinoza al apartamento moscovita dos días antes del inicio del viaje.

Un equipo del servicio secreto lo interceptó en la calle mientras se dirigía a comprar ropa adecuada para el clima tórrido de Santiago. La elocuencia de los brazos que con fuerza lo introdujeron en una furgoneta negra de cristales polarizados bastó para hacerle entender la inutilidad de cualquier resistencia, se dejó cubrir la cabeza con una bolsa oscura y cuando le quitaron la capucha se encontró frente al coronel Stanislav Sokolov.

Slava conocía al dedillo la naturaleza de la misión, aludió a órdenes de muy arriba para hacerla abortar y, anticipándose a las posibles preguntas de su ex camarada, detalló que esos cosacos debían salir de Rusia, era imprescindible tener registro legal de la salida del país y de la llegada a Chile. Si desaparecían en el país austral, todo quedaría en un hecho por investigar, tarea para la policía. En cambio, si los eliminaban en Rusia se convertirían en mártires muy útiles para la causa de los fanáticos cosacos. Como recompensa, ofreció incorporarlos a tareas de seguridad de su empresa, con salarios altos y un buen pasar garantizado en la nueva Rusia.

Espinoza aceptó el trato a sabiendas de que firmaba las sentencias de muerte para los dos. Apenas eliminaran a los tres cosacos se convertirían en cabos sueltos, los liquidarían en algún accidente y ese sería el fin de la historia, pero ser hijo de la segunda mitad del siglo xx enseña que lo peor es hacer el camino al paredón calzando las botas de plomo de la resignación.

—Eliminados por la geopolítica. Como en la Guerra Fría, *tovarisch* —comentó Salamendi.

—Las cosas pueden cambiar si jugamos bien nuestras cartas —indicó Espinoza.

Iniciaron el viaje tal como se había planeado. Los tres cosacos salieron del país con pasaportes ucranianos y ellos con documentos argentinos. Una de las cartas a jugar consistía en convencer a los cosacos de la necesidad de separarse en São Paulo y volver a reunirse en Santiago, su experiencia militar les concedía autoridad suficiente para cambiar de planes sin mayores explicaciones y, como primera medida, acordaron viajar solamente con equipaje de mano.

Durante la escala en Ámsterdam, uno de los cosacos facilitó las cosas. Con el sigilo necesario le señaló a uno de los pasajeros que también abordaron el avión en Moscú. Lo reconoció como uno de los oficiales de inteligencia encargados de interrogar a los separatistas musulmanes en Chechenia. Slava no sólo había engordado, la buena vida de oligarca le hizo olvidar la necesidad de usar hombres sin sombra.

En una de las tiendas del aeropuerto de São Paulo, Espinoza compró una corbata y un espray de perfume. Lo demás fue vigilarlo y esperar el momento propicio hasta que lo vieron dirigirse a los lavabos. Ante la mirada atónita de otros cuatro hombres que orinaban o se secaban las manos, Espinoza se le acercó, le soltó el chorro de perfume en los ojos y lo empujó al interior de una cabina.

—*Nada acontece, é um amigo* —dijo Salamendi en

su portugués aprendido en Mozambique, y cerró la puerta de la cabina.

El hombre de Slava quedó sentado en el retrete, ahorcado con una corbata italiana de treinta dólares y oliendo al mejor perfume de Carolina Herrera.

En el mismo aeropuerto de São Paulo compraron pasajes para un vuelo a Buenos Aires, descansaron en el taxi que los llevó del aeropuerto de Ezeiza al de Newbery, y siguieron viaje en otra aeronave hasta San Carlos de Bariloche.

Al amanecer del tercer día de viaje bordeaban el inmenso lago Nahuel Huapi en un autobús que ascendía por la carretera de la Patagonia andina rumbo a Puerto Montt, en Chile.

En Villa La Angostura el bus se detuvo media hora y bajaron a estirar las piernas caminando por el pueblo de pioneros, de cabañas con techumbres recias para soportar los estallidos de ira del cercano volcán Puyehue.

—La frontera se halla muy cerca —comentó Espinoza.

—Sé que me repito, pero siempre imaginé el regreso a Chile de otra manera, rodeado de compañeros dispuestos a derrotar a la dictadura. Me falta la épica, *tovarisch*.

—Llegará. Aunque no habrá llanto de viudas por nosotros.

El cruce de la frontera fue tedioso. Los gendarmes argentinos miraron y fotocopiaron con calma sus carnets de identidad, que los indicaban como ciudadanos de la capital federal, y los carabineros chilenos hicieron lo mismo, además de darse maña en arrebatar comestibles a la mayoría de los pasajeros.

Tres horas más tarde se acomodaron en un taxi que los llevó desde la terminal de buses de Puerto Montt hasta el aeropuerto.

—¿Se habrá enterado Slava del recuerdo que le dejamos en São Paulo? —preguntó Salamendi.

—Puedes jurar que viene volando en un jet privado. Hasta es posible que lleguemos juntos a Santiago.

La capital chilena los recibió con una bofetada de calor. Sin palabras se admiraron del moderno aeropuerto, tan diferente al que recordaban. La humildad de antaño había cedido ante la soberbia de los cristales y la armazón de acero. Cambiaron euros por pesos chilenos y evitaron los taxis oficiales hasta que encontraron un cacharro con todos los vidrios bajados.

Espinoza indicó al chofer una dirección y el aire caliente se apropió del auto. Una autopista conectaba ahora el aeropuerto con la ciudad. Sin hablar miraban a los costados, el río Mapocho seguía arrastrando basuras y animales muertos pese al muro de piedra, jardines y árboles de sombra exigua. Estar en Santiago tras tantos años de ausencia se les antojó como un *déjà vu* confuso. Reconocieron los nombres de viejos barrios populares que fueron semillero de militantes, de barricadas y combates hasta el último día de la dictadura, y que no enseñaban más que casas bajas de techos de hojalata y cientos de antenas de televisión.

A pocos kilómetros del fin de la autopista el manto de *smog* apenas dejaba ver los altos edificios de cristal y acero del *skyline* de Santiago.

Espinoza miró a la izquierda al reconocer la torre gótica de la iglesia de los Carmelitos. Era su barrio, por ahí erraría la sombra de su infancia corriendo tras una pelota de trapo, por ahí caminaría buscándolo el fantasma de una mujer joven y bella, arrastrando el fantasma de un niño al que ya nunca podría decir hola, hijo, hola, Camilo.

El taxi se detuvo en la esquina de Irarrázaval con Salvador. Salamendi pagó, bajaron y echaron a andar por Salvador en dirección norte. Al llegar frente al número buscado, Espinoza miró a los ojos de Salamendi y este respondió con un leve gesto afirmativo.

Se encontraban frente a uno de los pocos chalets de dos plantas que no habían sucumbido a la tentación de transformarse en edificios. Espinoza llamó al timbre y del portero automático salió una voz preguntando ¿quién es?

—*Druz'ya* —amigos, respondió Espinoza.

—*Pozzhe* —invitó a pasar la voz, y la puerta se abrió.

El anciano los condujo hasta una sala que a Salamendi se le antojó una minúscula reproducción de un palacio ruso detenido en el tiempo. De los muros colgaban iconos pintados con gran profusión de oro, retratos de cosacos vistiendo sus atuendos y una gran cruz ortodoxa ocupaba el lugar de honor.

Les ofreció té de un samovar, vodka, lo que desearan. Se veía complacido de hablar ruso con sus visitantes.

Espinoza preguntó si estaba solo y el anciano indicó que vivía con un gato como única compañía, pero que los domingos solía recibir visitas de otros miembros de la comunidad rusa.

—En Puente Alto tenemos un precioso cementerio cosaco. Deberían visitarlo —aconsejó.

—¿Nuestros amigos están ya instalados? —consultó Salamendi.

El anciano respondió que todo estaba según se esperaba. Él cumplió con la misión de retirar las llaves de la casa en la inmobiliaria, pagó el alquiler acordado y la garantía en efectivo. Otro miembro de la comunidad rusa los recogió en el aeropuerto y los llevó a la casa. Finalmente, agregó, él mismo se encargó de dejar la casa bien provista de alimentos para varios días.

—Ahora debes darnos lo que tienes para nosotros, padrecito —indicó Espinoza.

Siguieron al anciano hasta el sótano, le ayudaron a mover alfombras y otros trastos que cubrían un baúl, y el anciano lo abrió con una llave que llevaba colgada al cuello.

Había varias armas en el baúl, suficientes para armar un equipo de diez hombres, granadas de fragmentación, ropa de combate de camuflaje, chalecos blindados y un lanzacohetes ruso RPG-7. Espinoza cogió dos subfusiles Uzi SMG calibre 9 milímetros y cuatro cargadores de veinticinco balas, un moderno fusil Kalashnikov AK-47 con culata plegable y dos cargadores de polímero con munición calibre 7.62 milímetros. Pidió al anciano una bolsa para llevar las armas y en cuanto lo vio salir del sótano tomó un silenciador, lo acopló al cañón de una Uzi y esperó a que regresara.

El disparo sonó con la misma contundencia de cuando se parte una nuez, y el anciano se derrumbó con un agujero en la frente al pie de la escalera.

Revisaron la casa bajo la mirada indiferente del gato y encontraron un teléfono celular. Una rápida revisión a la memoria del aparato les indicó que el anciano no había hecho ni recibido llamadas en los últimos tres días. Les venía bien el aparato, pues el celular que les dio Slava en Moscú con seguridad tenía un GPS programado y terminó en una papelera en São Paulo.

Observado por los ojos sin vida de los santos pintados en los iconos, Espinoza marcó el número que tenía memorizado. Desde cualquier lugar donde estuviera, Slava respondería. Y así fue.

—¿Qué demonios ha ocurrido?

—Supongo que encontró el regalo que le dejamos en São Paulo.

—Me han decepcionado y pueden darse por muertos.

—Ya lo estábamos, coronel Sokolov. Hemos cambiado de idea y renunciamos a su miserable oferta. Vamos a cumplir con la tarea y usted deberá negociar con más generosidad.

—Está bien. Hablaremos —dijo Slava y cortó.

Salieron de la casa con las armas en una bolsa de lona y caminaron hacia el norte rumbo a la avenida Providencia. La ciudad ofrecía una fisonomía diferente a la que dejaran en los años setenta, pero las calles seguían siendo las mismas, con su trazado de paralelas y perpendiculares. Aunque no lo comentaron, los dos pensaban lo mismo tras oír a Slava: no era el de antes, poco quedaba del sagaz instructor de la Academia Rodión Malinovsky. Su tono era el justo para hablar con matones, no con dos ex oficiales de inteligencia. Slava ya sabía que estaban en Santiago y con seguridad pasados unos minutos dio con las coordenadas desde donde se le llamó. Su fingida disposición a hablar resultó demasiado espontánea y eso sólo podía significar que ya se encontraba en Chile.

Por la tarde volvieron a contactar con los tres cosacos, se instalaron también en la casa de seguridad y por la noche se encargaron de conseguir el todoterreno Toyota.

La relación con los tres cosacos ya era tensa en Rusia. Como veteranos de la guerra de Chechenia no terminaban de fiarse de dos extranjeros que, además de servir al comunismo, se habían formado como oficiales en la mejor academia militar de la Unión Soviética. El calor de Santiago los tornó irascibles, se desesperaban respirando ese aire caliente que apenas se enfriaba por la noche, y al ver el escaso armamento llevado por los dos chilenos la tensión creció.

Les habían asegurado que contarían con ropa de

camuflaje y las armas adecuadas para una acción rápida y letal. Espinoza intentó serenarlos prometiendo la llegada de las armas en el momento indicado. Les recordó que ellos habían estado en el depósito comprobando el arsenal y todo se encontraba según lo previsto.

Esa noche, al regresar con el todoterreno recién conseguido, se detuvieron en un negocio de licores abierto las veinticuatro horas y compraron varias botellas, detalle que cambió el humor de los cosacos.

Los dejaron beber a su antojo y ellos se encerraron en la cocina fingiendo cocinar.

—¿Sigues dispuesto a llegar hasta el fin? —preguntó Espinoza.

—Hasta el fin de la historia —le contestó Salamendi.

Entonces analizaron los hechos.

Salamendi indicó que los colaboradores rusos y chilenos no estaban dispuestos a jugarse el pellejo, esa era la única explicación para confiar un arsenal a un anciano y sin la mínima medida de seguridad. El teléfono celular del viejo ruso no había sonado ni una sola vez, nadie llamó ni envió mensajes consultando si todo estaba en orden. Las armas y uniformes no llevaban demasiado tiempo en el sótano del viejo, estaban impecablemente lubricadas, aún olían a Slippery, ese lubricante sintético de fuerte olor a almendra que limpia y preserva contra la humedad y el polvo. Era evidente que el viejo ruso no pudo transportar solo todas esas armas hasta el baúl, y menos cargar las pesadas alfombras y trastos que lo cubrían. Alguien llevó las armas y, al enterarse de la intervención de los servicios secretos rusos, puso pies en polvorosa en una fuga desesperada, con seguridad imitada por todos los involucrados. A ese viejo ruso simplemente lo abandonaron, por cobardía o por descuido.

A Espinoza le preocupaba Slava. Sin duda pondría al mejor de sus hombres tras ellos, uno que los conociera y pudiera anticiparse a sus actos. ¿Quién?

Coincidieron en que debía ser un latinoamericano y especialmente un chileno, un hombre capaz de hacerse invisible en el medio y conocedor del país. Sentados en la cocina hicieron una lista de todos los chilenos que conocieran en la Unión Soviética, Cuba, la República Democrática Alemana, Nicaragua. La lista de muertos redujo los nombres, ignoraban la suerte corrida por los que regresaron a Chile a partir del año noventa, y por más que construyeron las biografías de los que tenían experiencia en combate, no dieron con un perfil convincente.

—Y ese tipo silencioso de la Rodión Malinovsky, el *sniper,* ¿recuerdas su nombre? —consultó Espinoza.

—Belmonte. Salió vivo de Nicaragua y se exilió en Alemania, creo que en Hamburgo. Es muy poco lo que sé de él. Alguna vez consulté a Slava u otro oficial del KGB por el currículo de ese tipo y lo único que logré saber fue su militancia entre los más duros de la izquierda, los elenos, esos tipos de perfil muy bajo y seguidores del Che hasta la médula.

Los cosacos bebían frente al televisor y, antes de echar una pestañada, Salamendi quitó las agujas percutoras del Kalashnikov y una de las Uzi.

La mañana siguiente la emplearon en revisar el plan de acción. Pese a la resaca, los tres cosacos se sentaron frente al plano de Santiago. La casa de seguridad estaba a media hora en auto del número 9540 de la calle José Arrieta, en la comuna de Peñalolén. Ahí, el Centro de Detención Cordillera levantaba sus muros protegidos por una valla metálica de diez metros, alambres de espinos y cuatro torres de vigilancia. En el edificio mayor, una casa de aires cantábricos de dos plantas, funcionaba la comandancia del penal, y los presos ocupaban unas edificaciones menores estilo bungalow. El objetivo vivía en uno de los que se situaban en la parte posterior, orientado hacia unas parcelas de vegetación rala y la cordillera de los Andes. El penal contaba también con videovigilancia, y por las fotos que habían estudiado en Moscú era un sistema limitado. El frondoso follaje de los árboles de la calle las hacía inútiles por la noche en la parte frontal, lo que permitiría a dos de los participantes en la acción, A y B, acercarse para una maniobra de distracción que centraría la atención de los guardias en la entrada, favoreciendo al resto del grupo en su avance hacia el muro posterior. Mantendrían fuego de distracción sostenido sobre las torres de vigilancia.

Cada hombre repitió su misión: C volaría la torre de vigilancia más cercana con el RPG-7, D lo recargaría de inmediato y el cohete estallaría en la segunda planta de la comandancia, el tercer proyectil del RPG-7 volaría otra de las torres y el cuarto abriría un boquete en el muro por el que E lanzaría granadas de fragmentación. Toda la acción debía durar un minuto. Los veteranos de Chechenia eran capaces de disparar y recargar hasta ocho veces en ese tiempo un lanzacohetes.

Pasado ese minuto A y B habrían llegado con el vehículo hasta la parte trasera para dar cobertura a C, D y E con el lanzacohetes y un Kalashnikov, hasta que llegaran al bungalow del objetivo: un metro ochenta, delgado, cabello cano, ojos azules, bigote, ruso.

La extracción debía durar como máximo dos minutos, tiempo suficiente para eliminar toda la resistencia de los vigilantes, estimada en dos docenas de hombres sin ninguna experiencia de combate.

—Una vez más, repitamos todo —ordenó Espinoza, y los cosacos volvieron a estudiar el mapa de Santiago.

Luego del mediodía se entregaron a repasar la retirada. En Moscú la organización cosaca les informó que entre la medianoche de la acción y la una, cuatro aeronaves despegarían con intervalos de quince minutos y con diferentes planes de vuelo desde el cercano aeródromo de Tobalaba. No les llevaría más de quince minutos llegar a pie de avión, tiempo sin riesgo pues a la policía y militares chilenos les llevaría una buena hora entre contar las bajas, analizar lo sucedido y organizar la persecución. Les correspondía la tercera nave, un Piper PA-32 Cherokee de seis plazas que los transportaría a los seis, más el piloto, hasta una pista en la precordillera cerca de Rancagua. Y de ahí continuarían hacia la frontera argentina.

Cuando dos días antes del viaje, en Moscú, Slava le recitó con sarcasmo cada detalle del plan, hasta el mínimo pormenor, Espinoza agachó la cabeza, juró en su nombre y en el de su compañero fidelidad absoluta a las órdenes recibidas y le corroboró minuciosamente todo lo que sabía. Mientras lo hacía, tuvo la certeza del cambio radical en la personalidad del coronel. La vida de oligarca le había hecho perder aptitudes y, en la información obtenida al viejo estilo, el delator se guardó algo: la fuente de suministros en Chile. También él omitió un detalle: los tres cosacos eran perros de guerra, fanáticos de su ridícula causa nostálgica, y se diferenciaban muy poco de los fundamentalistas chechenos a los que habían combatido. Con ellos era posible llegar hasta Krassnoff. Salir vivos de ahí no tenía muchas chances, pero eso no le preocupaba.

Después de comer, mientras repasaban por quinta vez la operación, llamaron a la puerta. Los cinco hombres se miraron inquietos y Salamendi atisbó por la mirilla de la puerta. Frente al portón de reja vio al repartidor de pizzas.

Salamendi salió a su encuentro, no pudo evitar que lo siguiera uno de los cosacos, nervioso, agresivo, alegó que se trataba de un error y para acallar los gritos en ruso del cosaco pagó, dio una generosa propina al repartidor y ambos entraron a la casa.

La discusión fue violenta. Los cosacos los culpaban por haber elegido esa casa de mierda en la ciudad y no en un sitio aislado, sin vecinos ni intrusos. Uno de ellos gritó que tomaba el mando y debían ir de inmediato al depósito de armas para comprobar si existían, pues no creía una palabra de esos bastardos chilenos. Para mayor énfasis apuntó a Salamendi con el Kalashnikov.

—*N'et* —negó Espinoza levantando la Uzi con silenciador.

El cosaco tiró en vano del gatillo y tal vez antes de recibir el proyectil en medio de la frente entendió que su arma no tenía percutor. Los otros dos cayeron en el segundo siguiente.

Salamendi corrió a levantar la cortina metálica del garaje mientras Espinoza echaba las armas, documentos y dinero en la bolsa de lona, y por una puerta de la cocina salía directamente al garaje.

Salieron a gran velocidad de la casa y unos cincuenta metros más adelante Espinoza frenó junto a un auto aparcado. Entonces lo vieron y él también los miró. El tipo solitario, huraño, que casi no hablaba. El *sniper* de la Academia Rodión Malinovsky. Belmonte.

Horas más tarde abandonaron el todoterreno en el aparcamiento de un centro comercial. Espinoza rompió los cristales de varios vehículos generando un concierto de alarmas, Salamendi puso en marcha un KIA gris metálico de cristales polarizados y se alejaron hacia la autopista del sur.

En la primera gasolinera de la ruta llenaron el tanque de gasolina, Salamendi compró un juego de destornilladores y rápidamente se hizo con dos pares de matrículas.

A la altura del kilómetro doscientos se detuvieron a cenar y luego durmieron unas horas en el auto, semiocultos por dos camionetas cargadas con kayaks.

Con las primeras sombras del ocaso aumentó el rumor de la catarata frente a la que estaban sentados y las aves nocturnas empezaron a cantar en el bosque cercano.

—Mañana empieza el cambio de roles. Ahora nosotros seremos los perseguidores —murmuró Espinoza.

—Belmonte. Juan Belmonte. Si no ha olvidado lo que fue y por qué, nos entenderá y se pondrá de nuestra parte —agregó Salamendi.

Necesitaban descansar. Apenas habían dormido desde que salieran de Moscú y la fatiga enviaba señales de alarma. Acordaron hacerlo por turnos de seis horas cada uno. Salamendi se echó y Espinoza permaneció en vela bajo un cielo lleno de estrellas.

# 10
## Paralelo 33° Sur

Una semana más tarde me reuní con Kramer para informarle de lo investigado. Se resumía en una palabra: nada.

Slava había regresado a Rusia con su misión cumplida. La muerte de los tres cosacos garantizaba la armonía en las relaciones comerciales ruso-chilenas, Krassnoff seguía donde debía estar y la prensa elucubraba sobre el misterio del arsenal encontrado en el hogar de un anciano comerciante de orígenes rusos llegado a Chile en 1946, asesinado junto a las armas encontradas.

—No me gustan los cabos sueltos. ¿Has leído a Max Frisch, Belmonte? Es un escritor suizo empecinado en interpretar la realidad desde un punto de vista matemático. En su obra todo debe encajar, y la lógica, más que fruto del conocimiento y las comparaciones, depende del cálculo de probabilidades.

—Leí *Homo faber* y me aburrió. Lo suyo no son las parábolas, Kramer. Hable claro.

—En tus dos camaradas nada encaja. Pudieron seguir las órdenes del coronel Sokolov y regresar a Rusia, donde serían prósperos empleados de la filial moscovita del Lloyd Hanseático de Seguros. Sin embargo, el cambio de itinerario revela que tenían otros planes.

—Algunos perdemos agilidad con los años, otros pierden lucidez, usted ha perdido la capacidad de disfrazar el cinismo. Espinoza y Salamendi son ex oficiales de inteligencia, entendieron que una vez cumplida la tarea de eliminar a los tres cosacos serán molestos cabos sueltos. ¿Quién daría la orden de eliminarlos en Rusia? ¿Usted o el gobierno ruso? Es obvio que tenían otros planes y, en todo caso, son anteriores a la intervención de Slava en el asunto.

Con desgana detallé a Kramer lo averiguado con ayuda de los Buenos Muchachos. Gracias a su contacto en la PDI visionamos los videos de seguridad del aparcamiento donde dejaron el Toyota todoterreno y salían a bordo de un KIA. Por las cámaras de los peajes pudimos saber que salieron con rumbo sur y se alejaron unos doscientos kilómetros de Santiago, pero a partir de ahí, si continuaron hacia el sur o regresaron al norte, lo hicieron por caminos comarcales, sendas rurales que son imposibles de rastrear.

—Los tiempos han cambiado y hoy es bastante fácil comprar una Uzi en Colombia, también un moderno fusil de asalto Galil. Las fábricas de armas colombianas proveen a muchos ejércitos y no es extraño que algunas armas sólo existan en los inventarios. Compras una cantidad discreta para equipar a una pandilla de ocho o diez sicarios, las sacas a Panamá, de ahí a Belice o Paraguay y no habrá manera de determinar su destino final. Todo es cuestión de tener dinero para mojar manos en el camino —indicó Ciro.

Si las armas habían llegado así, ya no tenía ninguna importancia y era poco probable que la policía diera prioridad al tema. Marcos y Braulio le daban vueltas a lo que conocían.

—No creo que supieran quién iba tras ellos. Deben de haber hecho suposiciones, revisado los nombres de los que conocieron en los viejos tiempos de la URSS, Cuba y Nicaragua. Tú los conociste en Moscú, probablemente estabas en su lista y, al verte, sintieron la ventaja que da conocer al perseguidor —opinó Braulio.

—Lo que no entiendo es por qué no te dispararon. Eras un blanco regalado para una Uzi, un fierro capaz de disparar seiscientas balas en un minuto. Acababan de despachar a tres hombres y tenían la adrenalina a tope —agregó Marcos.

Era una pregunta que yo también me hacía. No bien hubiera alzado la Beretta la ráfaga me habría alcanzado. Fueron segundos los que nos miramos, pero bastaron para leer en sus rostros la vieja caligrafía de otros tiempos. No me mataron porque la primera prioridad era alejarse y una balacera en la calle pondría en peligro la misión que tenían pendiente. Y leí en sus rostros algo más: la serenidad que otorga la convicción de estar haciendo algo justo antes del combate, la extraña calma que cubre el miedo, el silencio del guerrillero aferrado al arma mientras se piensa en los momentos gratos que se han vivido para recibir a la muerte que no podrá matar ese último recuerdo. Espinoza y Salamendi se encontraban en Chile para saldar alguna vieja cuenta. Lo de unirse al grupo de cosacos no pasaba de ser una excusa o una manera de conseguir los medios para lograr lo que se proponían, y eso no tenía que ver conmigo.

—Entonces, Kramer, ¿soy también un cabo suelto?

El viejo suizo sonrió antes de responder.

—Aunque no lo creas, te estimo, Belmonte. Esto ya dejó de ser un asunto del coronel Sokolov. Si tuviera que hacer un informe, en él diría que fuiste muy eficiente al encontrarlos con tanta celeridad, que fueron presa del pánico, se apresuraron en eliminar a los tres cosacos para demostrar que cumplían su parte del trato y ya deben estar muy lejos. Caso cerrado. Queda a tu entera voluntad encontrarlos o regresar a tu refugio del fin del mundo. Nadie te molestará y en los próximos días recibirás un vale vista contra un banco suizo con tus honorarios. Fue un placer verte y confío en que no pasen otros veinte años antes de volver a encontrarnos.

—No, Kramer. Nunca más volveremos a vernos —me despedí devolviéndole el teléfono con un único número en la memoria.

—Consérvalo. Nadie rechaza un iPhone y puedes cambiarle la tarjeta.

Salí del moderno edificio extrañando a los dos matones rusos de Slava, especialmente a uno. Deseaba que me devolviera el golpe, así sin más, nada personal.

# 11
## Paralelo 43° Sur

La lluvia caía con violencia sobre Quellón y la costanera levemente iluminada recibía el embate del oleaje. El sonido de jarcias de las barcas atracadas era llevado por el viento hasta las ventanas de la pensión Anita y, a través de ellas, no se veía más que el agua corriendo a raudales por los vidrios.

El KIA de cristales polarizados avanzó lentamente bajo la lluvia y se detuvo a veinte metros de la pensión.

—Bueno, demos el siguiente paso —murmuró Salamendi.

—Vamos entonces —contestó Espinoza abriendo la puerta del auto.

Los dos hombres se dirigieron a trancos rápidos hacia la pensión, un rayo rasgando el horizonte marino arrancó destellos a los subfusiles Uzi que portaban y al alcanzar la puerta estaban empapados.

Verónica abrió los ojos en la semioscuridad. El chasquido que la sacó del sueño era ajeno al ruido de la tormenta y al acostumbrado crujir de la casa de madera. Metió la mano derecha bajo la almohada, sintió en ella la áspera superficie de la empuñadura de la Makarov y se incorporó aprovechando el retumbar de un trueno.

Permanecía de pie con la pistola apuntando hacia la puerta cuando un nuevo relámpago iluminó la habitación, esta se abrió de golpe y Pedro de Valdivia cayó sobre la cama. Vio a los dos hombres armados y disparó.

Salamendi recibió el proyectil en el brazo izquierdo, el impacto le hizo girar sobre sí mismo y se apoyó en la muralla para no caer.

—Suelte la pistola o la mato —ordenó Espinoza parapetado tras doña Anita y con el cañón de la Uzi en el mentón de la mujer.

—Ella no habla, hijo de puta —gritó Pedro de Valdivia.

Verónica vio que su amigo se aferraba el muslo derecho y la sangre le empapaba el pantalón. Entonces dejó caer el arma y recibió en sus brazos a doña Anita, que temblaba conteniendo el llanto.

—Una Makarov. Una puta pistola de museo —exclamó Espinoza recogiendo el arma.

Verónica sentó en la cama a doña Anita y se precipitó a atender a Pedro de Valdivia. Rasgó una sábana, le hizo un torniquete y comprobó que había orificios de entrada y salida del proyectil. El Petiso descubrió algo nuevo en los ojos de la mujer: un odio capaz de fulminar con la mirada.

—¿Aguantas? —preguntó Espinoza a su compañero.

—Me sacó un buen bife del brazo —respondió.

Espinoza ordenó a doña Anita que fuera en busca del botiquín de primeros auxilios, pero la mujer no atinó a levantarse, temblaba y gemía.

—Usted y yo, sin trucos, vamos —ordenó a Verónica.

—Van a pagar por esto, hijos de puta —aseguró Pedro de Valdivia.

Regresaron con el botiquín. Verónica aplicó desinfectante en las dos heridas y luego vendó el muslo de su amigo.

—Atienda ahora a mi compañero —dijo Espinoza.

Salamendi sonrió al verla con las tijeras y vio cómo le cortaba la cazadora de piel y la camisa hasta dejar al descubierto la herida. La bala le había arrancado unos cuantos milímetros de piel y tejido.

—Si me hubiera disparado de un metro más atrás me partía el corazón, señora. Pero es una Makarov y sus balas hacen una parábola horizontal apenas salen del cañón. ¿No le enseñó eso Belmonte?

—Métete conmigo, maricón —escupió Pedro de Valdivia.

Espinoza se sentó junto a doña Anita, le ofreció un pañuelo para que secara las lágrimas y le acarició las manos.

—Escuche, señora. Nos llevaremos a estas dos personas a la casa donde viven en Puerto Carmen. Usted se quedará tranquila, nadie debe saber lo que ha pasado. La vida de esta gente depende de usted, ¿lo entiende? Tome, en este papel hay un número de teléfono y la única persona que debe llamarnos es Belmonte. Si recibimos una llamada de otro, sus amigos mueren. Ellos confían en usted y nosotros también.

Al salir de la pensión Anita se había calmado la tormenta. Muy pronto amanecería, pues el verano austral es de noches cortas. Estrujando en las manos el papel que le había dejado Espinoza, la mujer vio alejarse el auto por la desierta costanera.

# 12
## Paralelo 33° Sur

Desperté muy temprano esa mañana y no tanto por el calor de febrero en retirada. El día se anunciaba con riesgo de temperaturas extremas, incendios forestales y sequía. Algo no encajaba y, por más que daba vueltas a lo ocurrido, no daba con la pieza suelta.

Con los Buenos Muchachos gastamos muchas horas revisando lo conocido e intentando obtener conclusiones. No llegamos más allá de suponer que Espinoza y Salamendi no estaban ya en el país, y que desde donde se encontraran verían la manera de vender la información que poseían. Cualquier periódico europeo publicaría con placer la confesión de dos mercenarios que habían intentado liberar a un criminal condenado por torturar y asesinar a cientos de personas durante la dictadura de Pinochet, con varios muertos a cargo de los servicios secretos rusos. Lo que les sucediera no nos incumbía y era el mejor fin de la historia. No obstante, la fugaz imagen de Espinoza y Salamendi a bordo del todoterreno durante la fuga no cesaba de gritarme que algo no encajaba.

Tomando un café en el balcón revisé las tareas a cumplir. Me había citado con la chica que me entregó las llaves del departamento a las ocho en el mismo lugar para devolverlas, enseguida pasaría por el taller de los Buenos Muchachos a dejar el auto, agradecer toda la ayuda, encargarles la Beretta en custodia, y desde el aeropuerto llamaría a Eladio e intentaría convencerlo de pasar unos días juntos en Puerto Carmen.

Pasado el mediodía volaría a Puerto Montt, en un bus cruzaría el canal de Chacao, llegaría a Quellón y, al anochecer, Verónica, el Petiso y yo encenderíamos un fuego en la casa. Como siempre, beberíamos un vino sin otro motivo que estar vivos.

Metía mis cosas en la bolsa de viaje y de pronto vi cómo el teléfono de Kramer se movía, vibraba sobre la cama. Casi no tenía batería, pero alcancé a leer el mensaje escrito: «Llama».

Dudé. La sensación de que algo no encajaba se convirtió en certeza. Lo conecté a la red eléctrica y marqué el único número.

—Han ocurrido ciertas cosas preocupantes, Belmonte. Uno de mis contactos entre los que mandan en Chile me ha pasado información confidencial que te atañe.

—Prometió que nadie me molestaría. «Caso cerrado» fueron sus palabras.

—Y lo mantengo. Hace cinco días un sujeto ligado a la Oficina faltó inexplicablemente a una cita, sus compañeros lo buscaron y ayer lo encontraron, muerto, con un agujero en medio de la frente. Creo que esa marca nos es familiar, Belmonte.

—Lo sabía, Kramer. Por eso insistió en que me quedara el teléfono.

—No, te equivocas. Acepto que soy un miserable, pero soy leal, y si hablo contigo es como prueba de esa lealtad. Bien, como la Oficina no ha existido nunca tardan en reconocer fallos de seguridad, pues se cubren las espaldas los unos contra los otros. Eso es el poder, Belmonte. Lo grave es que ese sujeto era el encargado de tu expediente.

—Nombre, Kramer. Dígame el nombre.

—Sí. Después de todo, un muerto se desclasifica a sí mismo. Se llamaba Antonio Figueroa. No puedo serte de más ayuda. Sinceramente confiaba en que tus dos ex compañeros se habrían largado del país, saben que la mano de los servicios secretos rusos es larga, pero son hombres fogueados y América Latina sigue ofreciendo selvas en las que ocultarse. Si hay cuentas por saldar, alguna antigua ofensa por reparar entre ellos y tú, no es mi problema. Para mí el caso está cerrado. Buena suerte, Belmonte.

Arrojé el teléfono y sentí náusea como cada vez que leo o escucho el nombre de un guiñapo. Así recordaba a Figueroa, un maldito estropajo que en los tiempos de la militancia dura siempre aparecía junto a dirigentes, impoluto en el vestir y luciendo con desparpajo un arma que jamás usó. Volví a encontrarlo en Cuba a fines de 1979, yo salía del hospital de las Fuerzas Armadas Revolucionarias donde me habían sacado una bala ganada en Nicaragua y un compañero oficial cubano me invitó a una fiesta del Minin, el Ministerio del Interior. Lo vi con su uniforme verde oliva impecable, sin una arruga y con las franjas de teniente ganadas en algún simulador de guerra. No fue el único chileno vestido con uniforme hecho a medida, de los cercanos a ministros e infaltables en los cócteles de las embajadas. Eran los cuadros políticos de confianza, los que jamás tomaron un machete zafrero, sintieron el olor maldito de la selva o vieron sangre en otro lugar que no fuera el cine. Figueroa se ufanaba de haber pasado por Cottbus, en la República Democrática Alemana, la mejor escuela de charlatanes del socialismo. De Cottbus salían los expertos en hacer estadísticas destinadas a demostrar que en los países socialistas el sol mejoraba la piel de las mujeres y la lluvia prevenía la alopecia. Al regresar a Chile algunos abjuraron públicamente de sus pasados, quemaron los uniformes verde oliva en actos públicos para ser bien pagados bufones de la derecha, y otros se convirtieron en expertos en contrainsurgencia al servicio de cloacas como la Oficina.

Las cosas empezaban a encajar. Espinoza y Salamendi me habían convertido en el perseguidor perseguido.

Tomé uno de los celulares proporcionados por el hacker de La Legua y llamé a Quellón. Doña Anita se echó a llorar apenas sintió mi voz.

—Vinieron anoche, se llevaron a Verónica y Pedro.

—Anita, cálmese. Es muy importante que me diga lo que pasó.

—Eran dos. Llegaron de noche y todo pasó muy

rápido. Al sentir que echaban abajo la puerta, Pedro salió con la escopeta y le pegaron un balazo.

—¿Mataron a Pedro?

—No. Lo hirieron en una pierna. Verónica se defendió, disparó y dejó herido a uno de ellos. Se los llevaron en un auto, a la casa de ustedes, a Puerto Carmen. Eso dijeron. Y me dejaron un número al que tiene que llamar. ¿Qué hago? ¿Aviso a los carabineros?

—No, Anita. A nadie. Ni a don Silva. No hable de esto con nadie y siga como si no hubiera pasado nada. Dígame ese número.

Logré tranquilizar a doña Anita. Aunque la buena mujer jamás fue militante, tras salvar la vida a Verónica aprendió el valor del silencio.

Verónica se había enfrentado a ellos y herido a uno. Pasados unos meses de nuestro regreso a Chile me atreví a poner la Makarov en sus manos, y aunque deseaba que jamás se viera en la necesidad de usarla, le enseñé a valerse del arma.

Así, mi amor, cierra la mano en la empuñadura con firmeza, el dedo pulgar sube o baja el seguro y pulsa el extractor del cargador, así, mi amor, el dedo índice en paralelo al cañón mientras descorres el cerrojo y entra una bala en la recámara, así, mi amor, tira con suavidad del gatillo y dispara con el arma siempre vertical para que los casquillos ardientes salten a un costado, nunca dispares con el arma de lado, pues los casquillos te pueden caer en la cara. Así, mi amor. Y Verónica lo hizo.

Marqué el número que me dio doña Anita y esperé.

—¿Belmonte?

—¿Quién eres, Espinoza o el otro?

—El otro. Un placer oír tu voz, camarada. Tienes una mujer muy brava, anoche estuvo a punto de mandarme al otro barrio.

—Déjame hablar con Pedro.

—Más tarde. Tu mujer y tu ayudante están bien. Él recibió un tiro limpio en un muslo, no queríamos matar a nadie. Todo no ha sido más que un trámite para dar contigo. Por cierto, vives en un bonito lugar y tus perros son preciosos. Se nos echaron encima, pero bastó un gesto de tu mujer para calmarlos.

—¿Hay cuentas pendientes entre nosotros?

—No que yo sepa, camarada. No es nada personal.

—¿Qué quieren de mí?

—De momento no te muevas de Santiago. Haremos una cita y será pronto. Hablaremos como buenos camaradas y sabrás que estamos en el mismo bando, como en los viejos tiempos. Te dejo con tu secretario. Pero antes un consejo: no intentes sorprendernos o convertirás esto en un asunto personal.

El Petiso tenía la voz quebrada por la bronca. Repetía que me había fallado y eso lo avergonzaba. Lo hice callar. Salamendi le pasó el teléfono con el altavoz activado y podía sentir la respiración de Verónica. Mi compañera. Se había situado cerca de Pedro para hacerme sentir en el aire entrando y saliendo de su cuerpo los versos de Benedetti que me hacía repetir apretando mi mano en las tardes frente al mar: «que el aire vuelva a ser respirable y de todos / y que vos muchachita sigas alegre y dolorida / poniendo en tus ojos el alma / y tu mano en mi mano». Mi compañera.

—Tranquilo. No les harán nada si obedecen sus órdenes.

—Le fallé, jefe. Debí quedarme junto a la puerta de la calle y no cerca de la menos segura, en la cocina. Fui un pelotudo, jefe.

—Pedro, somos socios. Dile a Verónica que estoy bien.

—Como ves, tu gente está en buenas manos, Belmonte. No te muevas de Santiago y todo terminará bien para todos. Ni sorpresas ni llamadas, nosotros tenemos el control, camarada —interrumpió Salamendi.

La comunicación se cortó. Me tenían en sus manos y eso me obligaba a pensar rápido. Podía pedir ayuda a mis compañeros y con seguridad Eladio, Ciro, Marcos y Braulio no vacilarían en ponerse a mi lado. Era posible volar a Puerto Montt ese mismo día y asaltar la casa por la noche, pero ¿seríamos tan rápidos? Ya no éramos los muchachos de los años setenta y no nos enfrentaríamos a soldaditos dispuestos a rendirse. También podía llegar solo hasta Puerto Carmen, los perros no me delatarían y posiblemente lograría matar a uno. ¿Y qué haría el otro? Debía esperar, ellos tenían el control.

Llamé a Eladio para anular la cita con la chica y le dije que me quedaba unos días más, tres o cuatro. No lo sabía.

—No hay problema. Belmonte, ¿pasa algo? Sabes que siempre puedes contar conmigo.

—Siempre cuento contigo, hermano. Siempre.

No informé del curso de los acontecimientos a los Buenos Muchachos. Me limité a decirles que continuaría la búsqueda un par de días y, si no conseguía resultados, daría por olvidado el asunto.

—Puedes tener el auto el tiempo que lo necesites. Nosotros seguiremos en contacto con el amigo de la PDI y te avisaremos de cualquier noticia —dijo Ciro.

Necesitaba la soledad para rumiar mis pensamientos, desarmando y armando la Beretta, no tanto para asegurarme de su funcionamiento, como para sentir en el frío metal la seguridad perdida de otros tiempos. Los que pasamos por los años duros sabemos que lo peor no es la soledad del combatiente clandestino. Lo peor es llegar al momento en que, por encima de los seres humanos, por encima de los compañeros, confiamos más en el arma que cargamos.

El calor no cedía durante los días finales de febrero y con desesperación no dejaba de pensar en Verónica, en los efectos de enfrentarse nuevamente al miedo, de estar a merced de hombres armados. Desde que la recuperé, lentamente y con el paso de los años logramos regresos parciales a mi lado. La sonrisa se fue dibujando nuevamente en su rostro y las caídas al pozo sin fondo en que se refugió de las torturas eran cada vez más espaciadas. La amenaza podía revivir los fantasmas del horror y la perdería nuevamente. Debía pensar con claridad, pero me faltaba la información más importante: saber qué querían Espinoza y Salamendi.

La noche del 25 de febrero sonó uno de los teléfonos y escuché la voz jadeante de Pedro de Valdivia. Me costó un par de puteadas calmar la ansiedad y la bronca que atropellaban las palabras del Petiso.

—Se la llevaron, jefe. Tienen un auto moderno, un KIA plateado. No pude hacer nada, jefe, se la llevaron y me dejaron atado a la cama. Menos mal que dejaron la puerta abierta y grité llamando a los perros. Son buenos perros, jefe, entendieron y mordieron la cuerda hasta que pude soltar las manos. Se la llevaron como a las cuatro de la tarde y yo demoré como una hora en soltarme, entonces corrí a la lancha y casi fundí el motor navegando hasta Quellón. Tienen varias armas, se llevaron también su pistola y la escopeta. Verónica se encuentra bien, jefe, me curó la herida, está tranquila, muy tranquila. Antes de salir de la casa me miró de una manera rara, nunca antes me miró de esa manera y entendí que me ordenaba estar tranquilo. ¿Qué hacemos, jefe? Dígame dónde está y me voy de inmediato. Tenemos que rescatar a Verónica, jefe.

—Tranquilo, Pedro. Ni una palabra a nadie y encárgate de cuidar a doña Anita.

—Me pegaron un tiro y estoy dispuesto a recibir los que sean, pero tenemos que salvar a Verónica, jefe.

Colgué. No me quedaba más que esperar. Mil cuatrocientos kilómetros separan Santiago de Puerto Carmen y Verónica venía a mi encuentro. Si la cita era con la muerte y nos encontraba juntos, como en los versos de Benedetti le demostraríamos que éramos mucho más que dos.

# Epílogo

Sé rápido como el trueno que retumba antes de
que hayas podido taparte los oídos, veloz como
el relámpago que relumbra antes de haber podido pestañear.

Sun Tzu, *El arte de la guerra*

El amanecer del 26 de febrero lo encontró despierto e inmerso en la tensa calma y el letargo de los que tal vez respiran el último aire de sus vidas. Juan Belmonte conocía esa sensación de no vivir dependiendo de los latidos del corazón sino del lento correr de los segundos.

Salamendi llamó a las siete de la mañana para darle la cita que ansiaba.

—Tu mujer está bien y de ti depende que así siga. Nos veremos a las cinco de la tarde frente a la puerta del Museo de Bellas Artes, a las cinco en punto de la tarde, hora familiar para alguien que tiene nombre de torero. Sin armas, camarada, sin sorpresas —dijo con voz cansada.

Belmonte esperó mirando las montañas sin verlas. Hasta su mente no llegaba más que una sucesión de imágenes como fotografías de un perdido álbum y en todas ellas estaba Verónica. La mañana que se acercó a ella en un acto político bajo los frondosos árboles de un parque y supo que no quería alejarse. La tarde que tomó en sus manos su rostro y lo acercó hasta rozar sus labios rojos y supo que el amor era posible. La noche que vio sus ojos cerrados en el instante supremo del amor mientras la luz intrusa de la luna acariciaba su cuerpo desnudo. La hora amarga que abrazados lloraron a los primeros compañeros muertos. La hora indeseada en que se separaron, Verónica y él en una habitación extraña a la que habían llegado cambiando varias veces de bus, caminando alerta, deteniéndose a observar en los reflejos de las vitrinas o en los espejos laterales de los autos estacionados la posible presencia de seguidores. La hora maldita de sus lágrimas rebeldes el día que decidieron dejar de verse porque la clandestinidad así lo imponía. La imagen de un hombre solo, armado y buscándola por las calles de Santiago, vagando cerca de cuarteles y comisarías, llenándose de odio y de tristeza hasta hacer del odio y la tristeza los tatuajes sobre la piel del hombre que pasó por Argelia y Moscú, aprendió a matar con eficacia sin encontrar un delta para desaguar toda esa bronca y se largó a buscar desquite en las selvas de Nicaragua. La imagen de un hombre aferrado a un teléfono en una casa de Hamburgo el día de su regreso de la muerte. La imagen de un hombre entrando a una casa modesta de Santiago, guiado por una mujer humilde y buena hasta la presencia de Verónica sentada en una silla y con la mirada perdida más allá de los muros, del aire, del amor, de la presencia del hombre que besaba su frente acariciando la larga cabellera negra. Verónica junto al hombre que asía su mano durante el vuelo a Hamburgo, su mirada al mar gris de Copenhague antes de entrar a la clínica del doctor Christiansen especializada en víctimas de la tortura, sus pequeños gestos recuperados, los sabe quién eres, los basta mencionar tu nombre y cambia, los sí, grita y gime por las noches, pero al despertar se aferra a tu fotografía. La imagen de un silencio de más de treinta años apenas roto por su mano buscando la suya, por su cabeza apoyándose en su hombro, por su leve sonrisa al oír poemas de Juan Gelman o Mario Benedetti frente al mar frío de Puerto Carmen. La imagen de Verónica con la mirada perdida en el volcán Corcovado, como si en la cima nevada del gigante se encontrara la llave que abriría la puerta y entonces volvería para siempre.

Belmonte dejó la Beretta en el departamento y salió a las calles. A las cuatro de la tarde se notaba el ajetreo de vehículos abandonando la ciudad para el fin de semana en la costa o en el campo. Febrero se despedía, en pocos días se produciría el cambio de gobierno, Michelle Bachelet entregaría la banda tricolor de las promesas no cumplidas a Sebastián Piñera para que hiciera lo mismo, los estudiantes empezarían las clases y el otoño iría desterrando el calor día tras día.

Desde la entrada del Museo de Bellas Artes lo vio avanzar desde uno de los puentes que cruzan el río Mapocho. Llevaba una barba de varios días y se cubría la cabeza con una gorra de béisbol. Aparentemente no iba armado.

—No es necesario darnos un abrazo, Belmonte.

Caminemos, dejé el auto al otro lado del río. ¿Estás limpio? —saludó Salamendi.

—Sin armas, sin sorpresas —respondió.

Debía tener su misma edad o un par de años menos. Su manera de moverse, una cierta rigidez y los leves movimientos de cabeza cubriendo con la vista el máximo terreno decían que estaba en buena forma, pero las bolsas bajo los ojos demostraban un cansancio acumulado.

—Supongo que nuestro viejo Slava ya regresó a la madrecita Rusia y en alguna oficina de Moscú estudiarán la manera más discreta de eliminarnos. ¿Era tu misión? —preguntó una vez sentados en el KIA metalizado.

—Somos diferentes, Igor. No soy un puto mercenario —espetó Belmonte.

—Igor. Me gustaba ese nombre. Servías o sirves a Slava y eso nos iguala. La moral se derrumbó con el muro de Berlín, camarada.

Salamendi puso en marcha el vehículo. Al ajustarse el cinturón de seguridad, Belmonte vio un destornillador en el panel de la puerta. Lo tomó con disimulo y le puso la punta en el cuello.

—Empujo y te atravieso la yugular. ¿Dónde tienen a mi compañera?

—Hazlo y no la ves jamás. Hacia ella vamos y si no estamos a la hora indicada mi camarada hará lo que debe. Deja eso y no llamemos la atención.

—Me tuvieron a tiro. Dime por qué no me mataron la tarde que los encontré.

—Ya llegaremos a eso. Ten calma y deja el destornillador en su sitio.

Salamendi puso rumbo a la avenida Vicuña Mackenna, se disculpó por ir por las calles que recordaba y no por las nuevas avenidas.

—Supongo que sabes cómo dimos con tu refugio.

—Figueroa. El sexto muerto, ¿o hay más?

—Por el momento no. Dame un cigarrillo encendido. ¿Recuerdas los papirosas que fumábamos en Moscú? Sí, Figueroa.

Conduciendo, le narró que Figueroa también pasó por el KGB a mediados de los años ochenta y desde entonces mantuvieron una relación que se tornó rentable a su regreso a Chile en 1989. Espinoza y él le proporcionaban información sobre chilenos regresados al país y que la Oficina deseaba tener bajo control. La nueva democracia se protegía de esa manera de cualquier veleidad revolucionaria, contestataria, y un simple informe inexistente e irrebatible al mismo tiempo bastaba para impedir el acceso a un puesto en la burocracia, en las dirigencias partidarias, o para asegurar fidelidades el exitoso modelo económico chileno. No eran la única fuente de la Oficina, otros exiliados en la República Democrática Alemana negociaron con la Oficina las minuciosas actas de la Stasi luego de la caída del muro.

—Calculamos que Slava se valdría de un chileno para dar con nosotros. Pensamos que podrías ser tú porque nos viste en la Academia Malinovsky, pero no teníamos ninguna seguridad, hasta que nos encontramos. Apretamos a Figueroa y nos entregó tu acta. Lo demás ya lo sabes —concluyó.

—Los encontré y debo pagar por eso. ¿Qué quieren de mí y por qué involucraron a mi compañera en esto?

—No te apresures, Belmonte. No hay cuentas pendientes. Fue una buena jugada la de mandar un repartidor de pizza. Un buen truco que nos desbarató los planes y tuvimos que matar a los tres rusos. Te necesitamos, eso es todo. Y de momento no hay más información, camarada.

—¿Me necesitan para liberar a Krassnoff?

—Lo dicho. No hay más información, camarada.

También para Belmonte Santiago era una ciudad extraña. Por el mapa de la ciudad que conservaba en la memoria, reconoció la avenida Irarrázaval mas no así las diagonales que los conducían al sur oriente hasta tomar la avenida José Arrieta. Salamendi notó su gesto al pasar frente al llamado Parque por la Paz, frente al portón conservado para no olvidar el horror, porque era la entrada a Villa Grimaldi.

Por ese portón entró atada y con los ojos vendados Verónica. Entre los ahora bellos jardines de rosales florecidos soportó lo inimaginable y calló. Por ese mismo portón la sacaron un día, dándola por muerta, junto a los cuerpos sin vida de otras mujeres y hombres jóvenes como ella, y los arrojaron a un basural para sembrar el terror que sostuvo a la dictadura.

Sin decirlo, Belmonte maldijo a Kramer y a Slava. Si le hubieran dicho desde el primer momento que la misión de Espinoza, Salamendi y los tres rusos era liberar a Krassnoff, no habría vacilado en matarlos.

—Así es, Belmonte. Villa Grimaldi. No nos falta mucho —dijo Salamendi.

Continuaron en silencio otros quince minutos hasta detenerse frente a un chalet de dos plantas y ático de madera. Frente al chalet, al otro lado de la calle, se alzaban los muros amarillos y la alta reja coronada de alambre de espinos del Penal Cordillera. Tras esos muros estaba Miguel Krassnoff, el cosaco, custodiado por gendarmes fuertemente armados.

Salamendi abrió el portón con un mando a distancia y el auto desapareció en un garaje pegado al chalet.

Espinoza lo recibió apuntándolo con un subfusil Uzi con silenciador. Era mayor que Salamendi. Una cabellera rala y cana resaltaba su rostro ajado, y las ojeras azules evidenciaban su fatiga.

—Chequéalo. No quiero sorpresas —dijo a su compañero, y Salamendi le ordenó apoyar las manos en un muro para hacer un chequeo riguroso.

—Sígueme, camarada. Pero te advierto que al menor movimiento en falso eres hombre muerto —ordenó Espinoza.

Bajaron al sótano. Al final de una estantería repleta de frascos, botellas y herramientas había una puerta metálica. La abrió y vio a Verónica. No estaba sola, un hombre y una mujer de edad mediana permanecían atados en el suelo, con las bocas y los ojos sellados con cinta americana. Verónica tenía las manos esposadas a una tubería, desde el cajón de madera sobre el que se sentaba le dirigió una mirada serena, sin miedo. Una mirada de otros tiempos.

Belmonte la abrazó y pidió que le quitaran las esposas.

—Toma las llaves. Hazlo tú mismo y enseguida vamos arriba —dijo Espinoza.

—¿Qué piensan hacer con ellos? —preguntó Belmonte abrazado a Verónica e indicando a la pareja del suelo.

—Nada. Les inyectamos Dormicum, un sedante suave que los hará dormir varias horas. Vamos —ordenó Espinoza.

En el salón Salamendi les indicó un sofá. También sostenía un subfusil Uzi. Espinoza se acercó con una cafetera y tazas que dejó sobre la mesa de centro. Belmonte sentía las manos de Verónica apretando su brazo sin violencia, con la cabeza reclinada en uno de sus hombros.

—Cuántos años han pasado, Belmonte. No recuerdo la última vez que nos vimos en el patio de armas de la Rodión Malinovsky, creo que nunca nos cruzamos más de un saludo y lo lamento. Si hubiéramos descubierto lo que de verdad nos unía no estaríamos en esta situación —dijo Espinoza.

—No tenemos nada en común o que nos una. Ni antes ni ahora.

—Te equivocas, camarada.

Con la Uzi en el regazo, Espinoza habló entonces de su juventud, de los sueños similares, de la mujer que amó y perdió, del hijo también perdido y de la peor manera. Al estrecharse el cerco en torno a él recibió la orden de salir al exilio, primero a México y un mes más tarde a la Unión Soviética para formarse como cuadro militar de alto nivel. La dictadura tenía asesores norteamericanos y la mayoría de los oficiales de inteligencia se habían formado en la Escuela de Las Américas, en Panamá, y el partido lo escogió para el aparato de inteligencia del futuro ejército revolucionario. La compartimentación era absoluta. No debía preocuparse de la familia, pues el partido solventaba sus gastos. Llevaba dos años en la Academia Rodión Malinovsky bajo la tutela del coronel del KGB Stanislav Sokolov cuando, por medio de otro chileno recién llegado a Moscú, se enteró de la atroz suerte corrida por su familia. Su mujer y el hijo cayeron en manos de un comando de operaciones especiales. Ataron a la mujer y la hicieron presenciar las torturas al hijo. A ella no la tocaban, pero convirtieron al niño en un amasijo de carne y sangre hasta que se les murió en una de las sesiones de tortura. Entonces se encargaron de ella, y tras sacarle la poca información que podía darles, la hicieron desaparecer.

—¿Sabes quién era el jefe de los torturadores en una casa de la calle Londres número treinta y ocho? Miguel Krassnoff. Y lo tenemos a menos de cien metros, Belmonte. Lo de liberarlo no fue más que una patraña, el medio que nos acercaba a él y hacía posible el castigo. Esos tres cosacos eran unos seres pri-

181

mitivos, bárbaros, idiotizados en la guerra de Chechenia, fanáticos. Los necesitábamos para la operación, pero ninguno, ni ellos ni nosotros saldríamos vivos. Slava y el servicio secreto ruso descubrieron el plan de la organización cosaca para liberar a Krassnoff, lo desmantelaron y recibimos el encargo de eliminar a los rusos en Chile. Para Slava no éramos otra cosa que parias, desechos del derrumbe de la Unión Soviética, veteranos prescindibles. En São Paulo eliminamos al que acabaría con nosotros una vez resuelto el problema de los tres rusos. Íbamos a seguir con nuestro plan, y en eso nos tendiste la trampa y todo se alteró. Sabíamos poco de ti, pero luego de leer tu acta, por cierto muy completa, descubrimos que nos une el mismo odio. Mira a tu compañera y no te atrevas a contradecirme. Te necesitamos. Eres uno de los mejores francotiradores formados en la Unión Soviética. Todos podemos salir vivos si haces bien tu trabajo, camarada.

Belmonte lo dejaba hablar sin interrumpirlo. En el vigor de las manos de Verónica apretando uno de sus brazos y en la respiración de su compañera muy cerca de su rostro sentía la fuerte lucha interior que la estremecía. El relato de Espinoza era un viaje al mundo del horror experimentado en carne propia y hasta deseaba verla caer en el vacío de la ausencia, de la mirada perdida y sin embargo aún llena de luz.

Ya al ocaso, Espinoza terminó de relatar su vida en la Unión Soviética, la experiencia de Afganistán, la decepción de todo y la conservación del odio y las ganas de venganza como única causa digna pero estéril debido a la distancia, a los hechos de la historia. Salamendi y él intentaron por todos los medios unirse a los combatientes del Frente Patriótico Manuel Rodríguez que regresaban a combatir en Chile luego de recibir instrucción en la Unión Soviética, Cuba y la República Democrática Alemana. No lo consiguieron, fueron discretamente rechazados aludiendo disciplinas partidarias, pero ambos sabían que los motivos tenían que ver con la desconfianza. No conocían los códigos de la nueva hornada de combatientes, eran veteranos de una enorme derrota y su proximidad al KGB no contribuía a establecer lazos de cercanía. Lo habían perdido todo y no les quedaba más que la determinación de no morir vegetando a la sombra de los nuevos amos de Rusia, y sólo prevalecía en ellos la determinación de poner fin a la historia.

—Es tu turno, Igor. Dile por qué estás en esto —ordenó Espinoza.

La bronca de Salamendi no se diferenciaba en sus raíces. Hijo de una madre humilde y con el padre fallecido cuando era niño, participó como militante activo de las Juventudes Comunistas desde la adolescencia. Imbuido de la mística de los jóvenes comunistas, se entregó a las tareas sindicales en la fábrica donde trabajaba, hizo la enseñanza secundaria en un liceo nocturno y de su esfuerzo dependían la madre y un hermano menor. Vivió el jolgorio y la esperanza de la llegada de Salvador Allende a la presidencia. En 1972 su tesón militante fue premiado con una beca para estudiar en Moscú, en la Universidad de Los Pueblos Hermanos Patrick Lumumba. Desde Moscú se enteró del golpe de Estado, el inicio de la dictadura, la captura de su hermano también militante y su desaparición tal vez arrojado al fondo del mar, o volatilizado con explosivos, la fórmula empleada por los militares para no dejar ni el menor rastro, ni una partícula de huesos, nada que permitiera identificar a los asesinados. Su hermano fue visto por última vez en un centro de torturas de la calle José Domingo Cañas número 1367. Más de cincuenta prisioneros políticos fueron asesinados y hechos desaparecer en esa casa llamada Cuartel Ollagüe por los militares. Krassnoff y Osvaldo Romo, junto a unos veinte oficiales del ejército y carabineros, se diplomaron como torturadores en esa casa robada al sociólogo brasileño Theotonio dos Santos, y cuando unos años más tarde el mayor centro de torturas fue Villa Grimaldi, eran maestros en el arte del dolor.

—Mi madre murió buscándolo a fines de los años setenta. Como ves, Belmonte, es mucho lo que nos une a los cuatro presentes en esta sala —terminó Salamendi.

La noche se apropió de Santiago y una enorme luna llena ascendió desde la cordillera de los Andes. Una luz irreal bañaba la calle y a las once de la noche Espinoza anunció que llegaba la hora de la venganza.

¿Por qué no? Se preguntó Belmonte al ser separado de Verónica y subir, seguido de Espinoza apuntándole con la Uzi con silenciador, hasta el ático de la casa.

Verónica permaneció sentada frente a Salamendi con la vista fija en los ojos del hombre armado. Salamendi vio que no había miedo en ellos, y el brillo de sus pupilas pasaba del odio a la compasión como las agujas de un reloj marcando el tiempo final del cosaco.

En el ático, Espinoza ordenó a Belmonte tenderse sobre una manta dispuesta frente al muro de madera inclinado. Faltaban varias tablas y a través del agujero se podía ver la parte superior del muro del Penal Cordillera, las torres de vigilancia y los bungalows que albergaban a los militares presos.

Espinoza abrió una bolsa de lona y de ella sacó un fusil. Lo dejó junto a Belmonte y apoyó el cañón de la Uzi en su nuca.

—Tómalo. Es un arma que conoces, un Kalashnikov AK-47 y en el cargador hay diez balas explosivas. Como en los viejos tiempos. Mete una bala en la recámara y ajusta el selector de disparos. Sin tretas, camarada. Si no lo haces tú lo haré yo, pero no podrás verlo.

Belmonte tomó el fusil, empuñó con la mano derecha la culata de pistola y con la izquierda el guardamano. Hizo correr el cerrojo y olió el inconfundible aroma de aceite y silicona de un arma recién lubricada. La primera bala entró con suavidad en la recámara, puso de lado el fusil y con el pulgar derecho ajustó el selector de disparos en tiro a tiro. Enseguida alineó su ojo derecho hasta que el alza de mira coincidió con el punto de mira.

—Respira, Belmonte. Relájate tal como lo hacías en la Rodión Malinovsky, haz descender tus pulsaciones. Tenemos tiempo. Sin tretas, camarada. Nada debe distraerte y para ayudar responderé a todas las preguntas que estorban tu calma. Esta casa la elegimos por el ático, al azar. No sabíamos a cuántas personas encontraríamos, pero nos acompañó la suerte. Llamé, reduje al hombre y en minutos estábamos instalados. Es una pareja de profesores sin hijos. Dependen de ti para salir vivos de esto.

Belmonte movió lentamente el fusil valiéndose de su mano izquierda como pivote. Su mirada en línea recta salía de la muesca del alza de mira y pasaba por el círculo de acero del punto de mira. La luna llena permitía una visión perfecta de los vigilantes en las torres y de otros que se movían entre los bungalows.

—Sé que necesitas más datos, Belmonte. Calma. Krassnoff ocupa el bungalow de tu izquierda en la parte posterior. Son unos doscientos cincuenta metros los que te separan del blanco. Se retira temprano pero duerme poco. Debe padecer de insomnio y se levanta a dar un breve paseo, o se sienta en una de las sillas de la pérgola que hay frente a su vivienda. Suele vestir una cazadora de piel marrón claro, tiene el pelo canoso, bigotes, es delgado y mide algo más de un metro ochenta. No es una información cien por cien fiable, nos la dieron los rusos y no la hemos contrastado. Bonita luna llena, camarada. No despegues la mirada del blanco.

Pasaron las horas y al filo de las tres de la madrugada Belmonte sintió frío, un frío extraño para una noche de verano. A ratos sentía el cañón de la Uzi rozando su nuca y tenía el brazo izquierdo medio entumecido, con el codo fijo al suelo y sosteniendo el fusil.

¿Por qué no?, se repetía sin dejar de apuntar al bungalow de Krassnoff. Recordó la última vez que permaneciera en una situación similar, y de eso hacía ya más de treinta años. Fue en Nicaragua un 18 de julio, un día antes de la entrada de las columnas guerrilleras sandinistas victoriosas a Managua. Un pelotón de la guardia personal de Somoza se atrincheró entre las ruinas cercanas al centro cívico de la ciudad y disponían de una ametralladora pesada Browning M-2 calibre 50, desmontada de un carro de combate. Belmonte tomó posición a trescientos metros del objetivo, sobre un muro y cubierto por unos costales de yute. Ajustó la mira del Garand M-1 y esperó. Las fuerzas del Frente Sur no tardarían en acercarse y la misión de los combatientes de la Brigada Internacional Simón Bolívar era evitar sorpresas en el avance hasta el centro de Managua. Los tábanos se ensañaron con su cuello y manos, pero no movió un músculo. La respiración lenta y acompasada hacían del hombre y el arma un todo indivisible. A ratos pasaba la lengua por los labios para espantar a los insectos y sentía el sabor de su propia sangre, o parpadeaba con fuerza para espantarlos de sus ojos. Pasadas tres horas se escucharon los motores de los vehículos sandinistas acercándose y entonces el operador de la ametralladora corrió a su puesto. Un tiro en medio del pecho lo derribó, y el resto de los guardias nacionales abandonaron el puesto.

—Es raro que haga tanto frío —comentó Espinoza y miró la hora. Eran las tres y treinta de la madrugada, en unas dos horas empezaría el amanecer. Un aullido de perros rompía la quietud y el silencio de la noche.

En ese momento lo vio. Cabellera cana y lisa, bigotes, alto, vestía una cazadora de cuero y se había echado una manta sobre los hombros. Estaba en el umbral de la puerta del bungalow y no se decidía a dar el primer paso. Krassnoff estaba en la mira. ¿Cuántas veces había soñado con eso? Sin parpadear observó el blanco, ningún sentimiento, ni siquiera el odio debía perturbarlo. A la entrada del salón de oficiales de la Academia Rodión Malinovsky había una fotografía del general Vasili Záitsev, el mejor francotirador ruso de todos los tiempos, tomada durante la batalla de Stalingrado en 1942. Záitsev eliminó a más de doscientos oficiales alemanes y al ser preguntado por un corresponsal de guerra sobre lo que sentía al apretar el gatillo, respondió: el retroceso, lo único que siento es el retroceso del arma. ¿Por qué no? La mira apuntando a la cabeza de Krassnoff se deslizó levemente acompañando el primer paso dado para salir del bungalow.

Belmonte midió mentalmente la distancia con el índice rozando el gatillo, ¿por qué no?, se alegró de que no soplara ni una brizna de viento, ¿por qué no?, bajó levemente la mira de la cabeza al pecho del cosaco, ¿por qué no?, estimó que si la primera bala se desviaba por rozar la valla metálica, la segunda, disparada de inmediato, no encontraría resistencia. «En nombre del pueblo», dijeron los resistentes checos al acribillar a Heydrich en el cuarenta y dos, ¿por qué no?

Entonces, hasta sus oídos y de ahí hasta el último rincón de su cuerpo llegó la voz más ansiada, la voz que deseaba oír nuevamente a cualquier precio, hasta dar la vida si era preciso por una sola palabra de Verónica.

—¡No lo mates, Juan! —gritó Verónica desde la escala que subía al altillo y con el cañón de la Uzi pegado a la cabeza de Salamendi.

—¡Dispara! —gritó Espinoza apretando el cañón de su arma contra su nuca.

En ese momento la casa se estremeció con violencia en medio de un movimiento que aumentaba su intensidad y derribaba objetos, agrietaba los muros, una lámpara se desprendía del techo en la sala y su estruendo fue ahogado por el rumor venido de las profundidades del mundo y que sintetizaba todas las palabras en una sola: terremoto.

Belmonte alcanzó a ver a Krassnoff huir del Bungalow, se giró, libre de la presión de la Uzi en la nuca, y aceptó la mano de Espinoza para levantarse mientras la casa se sacudía cada vez con más fuerza. Luchando por mantenerse de pie, los dos vieron a Verónica y Salamendi azotando los cuerpos contra la muralla mientras bajaban la escalera para rescatar a la pareja del sótano.

El terremoto de grado 8,8 en la escala Richter duró cuatro minutos. La calle José Arrieta se llenó de gentes huyendo de las casas vecinas y en el Penal Cordillera se dispararon las alarmas de incendios.

—Lo tuve a tiro —murmuró Belmonte abrazado a Verónica mientras la tierra se seguía moviendo.

—Que sufra. Que viva mil años encerrado —musitó Verónica buscando sus labios mientras la casa se sacudía y la ira del planeta era el eco de su voz recuperada.


El KIA metalizado avanzó evitando las grietas abiertas en las calles, los postes y árboles caídos. Por todas partes se veían muros agrietados o derrumbados y el miedo era la máscara que cubría todos los rostros.

Se detuvieron en las cercanías del cerro Santa Lucía. Verónica y Belmonte bajaron del auto.

—Nunca nos hemos visto ni volveremos a vernos —dijo Espinoza.

—Fue un placer, camaradas —agregó Salamendi.

Abrazados, esperaron hasta que el auto se perdió de vista.

—A casa, compañera mía —murmuró Belmonte.

—Sí, a casa, compañero mío —respondió Verónica.
Y se echaron a andar por la ciudad herida, ajenos
a los persistentes espasmos de la Tierra.

*Gijón. Asturias. Julio de 2016*

## AGRADECIMIENTOS

A Carmen, a mis hijos, a mis nietos, por todo el tiempo robado.

A mis editores por su infinita paciencia, especialmente a mi editor italiano Luigi Brioschi por sus siempre certeros consejos.

A mi agente, Nicole Witt, por cuidarme la espalda mientras trabajo.

A mi buen amigo y compañero José Miguel Varas (QEPD), que en una tarde inolvidable me narró detalles de la historia de Miguel «Misha» Ortuzar, el cocinero chileno de Stalin.

A Mónica Echeverría Yáñez, que con su estupendo libro *Krassnoff arrastrado por su destino* me permitió conocer mejor la historia de este miserable criminal.

A mis amigas y amigos, por las cenas a las que he faltado mientras escribía.

193

Apéndices

# Lugares y organizaciones
## que aparecen en la novela

*Villa Grimaldi*

En la comuna de Peñalolén, al sudeste de Santiago, existió una gran propiedad rural —un fundo— perteneciente al abogado y humanista chileno Juan Egaña. Fue un lugar de encuentros intelectuales a los que acudieron personalidades como Andrés Bello, Manuel de Salas y Benjamín Vicuña Mackenna, entre otros. Luego del golpe de Estado del 11 de septiembre de 1973, la dictadura ordenó a la Dirección de Inteligencia Nacional —DINA—, el organismo represor que dependía directamente de Augusto Pinochet, buscar un sitio adecuado para concentrar las operaciones de guerra sucia contra el llamado «enemigo interior». Con ese fin presionaron al propietario del fundo, Emilio Vasallo, para que vendiera la propiedad, y a partir de 1974 empezó a llamarse «Cuartel Terranova» en la jerga criminal de la dictadura.

Villa Grimaldi fue el mayor centro de detenciones ilegales, torturas, asesinatos y desaparición de personas. Se estima que más de cinco mil personas pasaron por esa instalación de horror, y de ellas, unas trescientas permanecen aún desaparecidas.

En 1976, con la transformación de la DINA en Central Nacional de Informaciones —CNI—, las actividades represivas se intensificaron, y bajo las órdenes del general Manuel Contreras, que sólo respondía de sus actos ante Augusto Pinochet, Villa Grimaldi fue el centro oficial de detenciones ilegales, torturas, asesinatos y desapariciones.

En 1988, en las postrimerías de la dictadura, Villa Grimaldi fue traspasada en propiedad a Hugo Salas Wenzel, director de la CNI, con la orden de eliminar todo vestigio, toda evidencia de lo ocurrido en los años más oscuros de la historia de Chile.

En la actualidad Villa Grimaldi es un Monumento a la Memoria de las Víctimas. En sus jardines están aún los trazos de la que fue patria del horror y el sufrimiento.

*La Oficina*
Fue una entidad u organismo no oficial, de existencia muy difícil de probar o rastrear de manera legal, creada a fines de la dictadura en 1989 y comienzos de la «nueva democracia» en 1990. Su finalidad era terminar con las acciones armadas de las organizaciones de extrema izquierda surgidas en la lucha contra la dictadura, y asegurar la paz social que llevara a buen éxito la transición a la democracia. La integraron ex agentes de la represión dictatorial y mercenarios renegados de su pasado revolucionario. Para la historia oficial chilena la Oficina nunca existió, y lo que jamás existió es difícil que termine.

*Las cartas recibidas por Miguel Krassnoff*
Son todas reales y se pueden consultar en los sitios de internet que este y otros condenados por crímenes de lesa humanidad tienen y manejan con total impunidad.

*ELN, Ejército de Liberación Nacional*
Fue una organización político-militar nacida en 1966 en Bolivia como eje conductor de la lucha guerrillera encabezada por el comandante Ernesto Che Guevara y los comandantes guerrilleros Roberto «Coco» Peredo y Guido «Inti» Peredo.

En Chile sus militantes, mayoritariamente del Partido Socialista, apoyaron con medios y combatientes el esfuerzo emancipador latinoamericano que entre 1966 y 1968 tuvo a las selvas bolivianas como punto más álgido.

Entre los combatientes chilenos del ELN caídos en Bolivia destacan los comandantes Elmo Catalán, Tirso Montiel y Agustín Carrillo.

*La Academia de las Fuerzas Acorazadas Soviéticas Rodión Malinovsky*
Llamada así en honor del mariscal Rodión Yákovlevich Malinovsky, héroe de la Unión Soviética y uno de los estrategas de la derrota nazi en la segunda guerra mundial. En esa unidad militar se formaron muchos combatientes latinoamericanos.

*El GAP*
Fue un grupo de militantes de la Juventud y del Partido Socialista encargado de la seguridad del presidente Salvador Allende. Combatieron junto a él en el palacio de La Moneda el 11 de septiembre de 1973. Muchos de ellos integran la lista de chilenos desaparecidos.

# Últimos títulos
# Colección Andanzas

894. Baile en el Kremlin y otras historias
Curzio Malaparte

895. La canción de las sombras
John Connolly

896. Sol robado
M.O. Walsh

897. Dos mil noventa y seis
Ginés Sánchez

898. América alucinada
Betina González

899. Café amargo
Simonetta Agnello Hornby

900. La vida negociable
Luis Landero

901. Una sola palabra
Joaquín Berges

902. La quietud
Ignacio Ferrando

903. De qué hablo cuando hablo de escribir
Haruki Murakami

904. Los Cinco y yo
Antonio Orejudo

905. La otra parte del mundo
Juan Trejo

906. El fin de la historia
Luis Sepúlveda